いづみ語録

鈴木いづみ

編集・鈴木あづさ＋文遊社編集部

文遊社

獰猛な少女

撮影・荒木経惟

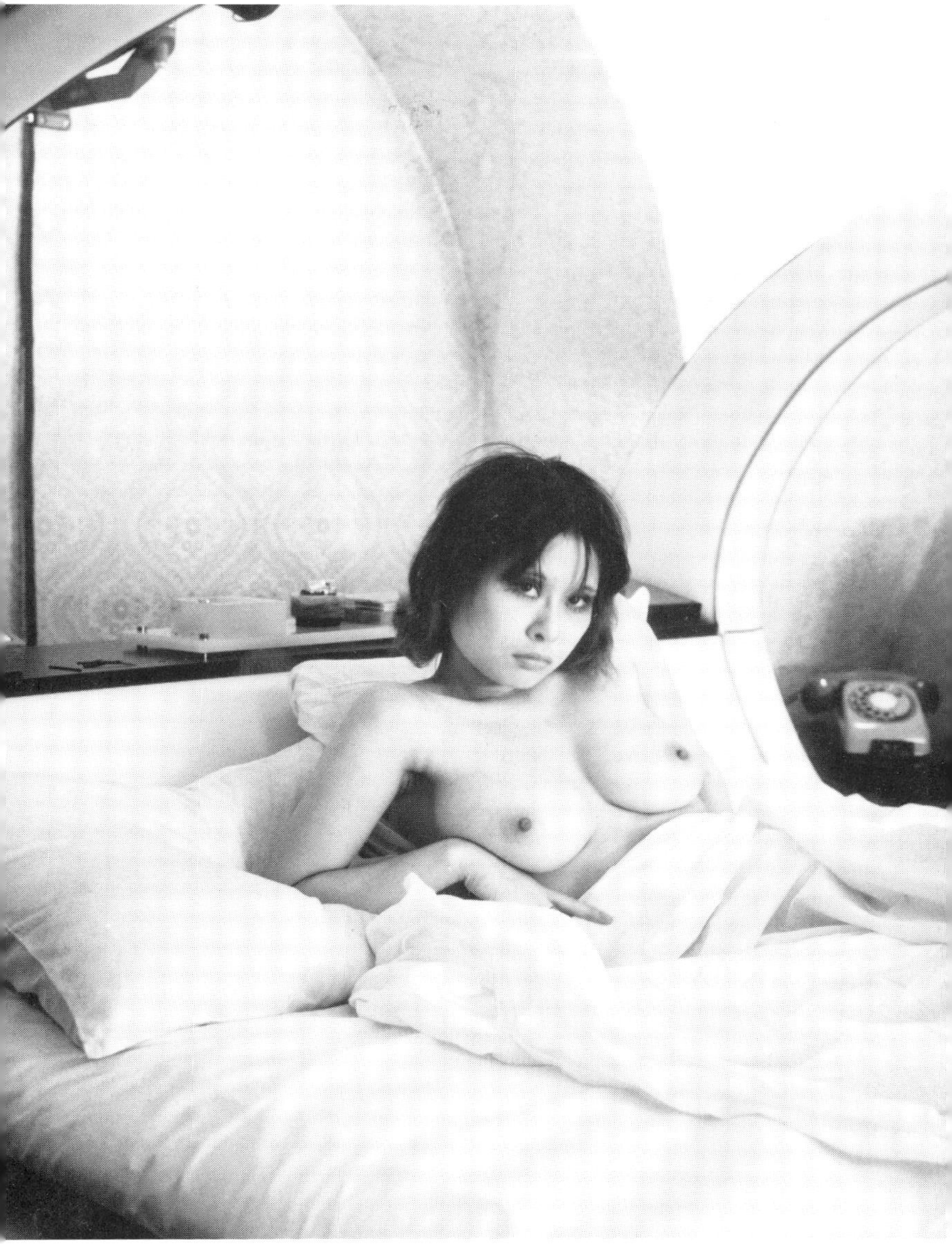

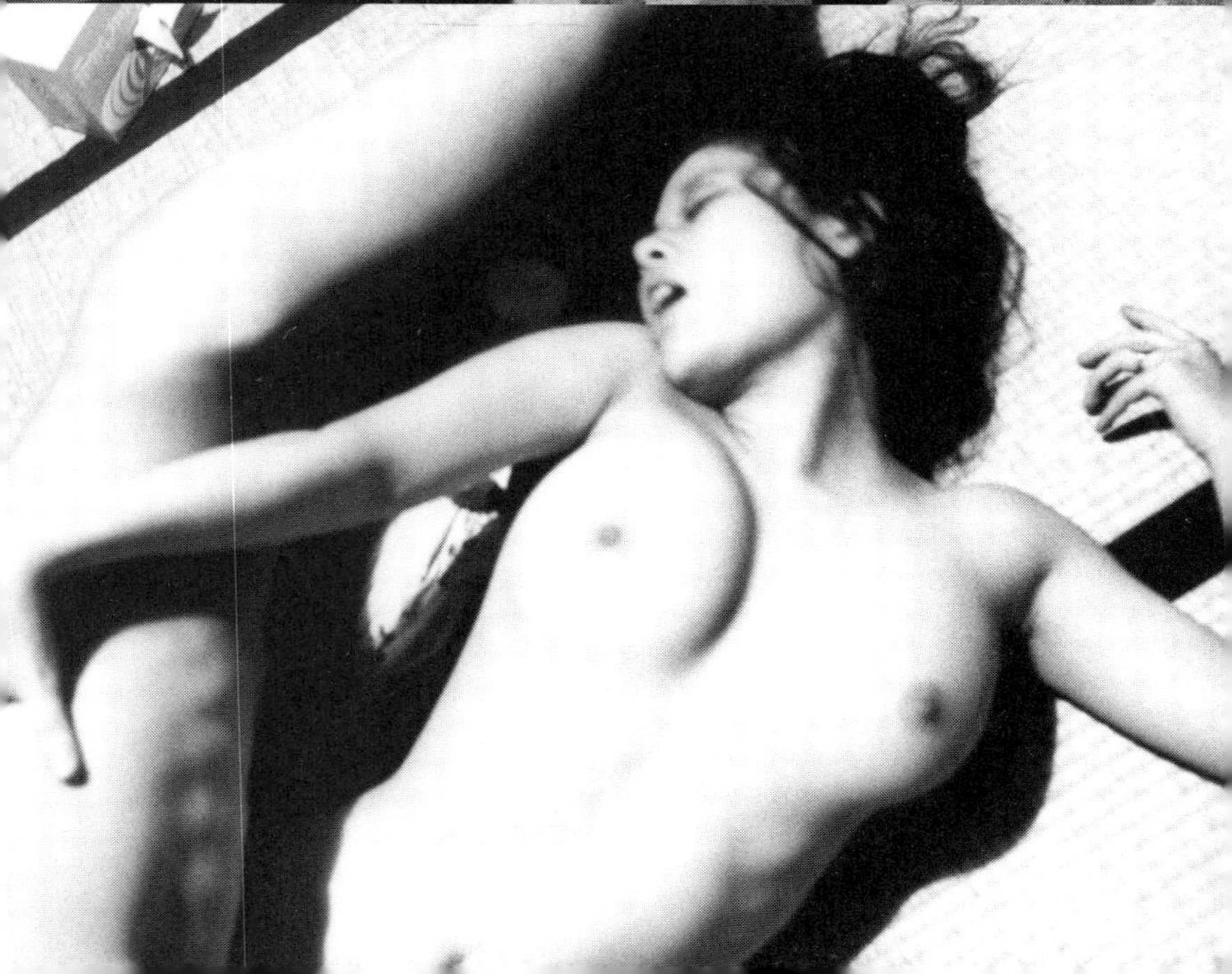

LUCKIES

目次

獰猛な少女……撮影／荒木経惟

いづみ語録……鈴木いづみ………009

カバー写真◎荒木経惟
装幀◎佐々木暁

いづみ語録

『いづみ語録』について

「みずからの敵がなんであるかを把握するには、世界を認識することからはじめなければならない」——鈴木いづみ

この『いづみ語録』は、宇宙空間から見た碧い地球のように、鈴木いづみが言葉で捉えようとした世界を一望したものです。『語録』を道標としてさらに原典に深く分け入ってみれば、豊かな世界が広がり、鈴木いづみが姿を現します。

編集には、鈴木あづさと小社編集部が共同であたり、鈴木いづみの世界観を彩る、切れ味鋭い、強く印象に残る言葉を、単行本および単行本未収録の雑誌掲載作品の中から採録しました。

抜粋した文章の文頭の——は、段落の途中から抜粋したことを示し、……は、文の途中から抜粋したことを示しています。文末の（　）内にタイトル名、発表年月、掲載ページ数（小社発行単行本のみ表記）、雑誌・単行本名を表記しました。

なお、『鈴木いづみコレクション　全8巻』所収の文章は、C1-11p　のように表記し、Cが『鈴木いづみコレクション』、そのあとの数字は巻数、ページ数を表わしています。発行年のないものは、巻末の書誌を参照してください。

愛

クラム・チャウダーをたべながら、唐突に、愛しあって生きるなんて、おそろしいことだ、と思った。この男を、まだ愛してはいないけど。いままで、だれも愛したことはないけれど。

（ハートに火をつけて　C1-203p）


「ねえ、愛って、なんなの？」

「これのことだろ？」

彼は手をのばして、わたしの脚のつけねをおさえた。（ハートに火をつけて　C1-250p）

「なぜ、あの子といっしょにいるの」

「……気に入っているからだろうな。やっぱり、好きなのかな」

「どんなとこが？」

「抱いてて気持ちがいいからさ。それ以外にないだろ。気に入る理由なんて」(声のない日々　C2-70p)

「あなたはいつだって自分からみじめさを求めてるようなもんだ」
「わたしは誰も愛さないようにしようと思ってるだけよ」
「そんなことできるのか」
「無差別性交以外にないじゃない」(九月の子供たち　C2-207p)

わたしのなかには、相手を破滅させたいという感情と、愛されたいという想いが、いつも同時に存在していた。相手を愛したい、とはげしく願うのだが、一方では拒否せずにはいられないのである。そして、いきつくところは、相手に対する嫉妬と軽蔑である。つまり敵意なのだ。

(幻想の内灘　C5-194p)

「愛」のなかでは、よりいっそう自分というものが明確になって、しかるべきである。なぜなら、「あなた」を愛するのは、この「わたし」であるから。「わたし」がなければ、だれが「あなた」を愛するのだろう。

「愛」の名において、自分を見うしなう女を身近にみると、じつにぶざまである。（異性は異星人 C5-232p）

ふたりをむすびつけるものが、セックスじゃないっていう関係は、一夜にしてできあがるもんじゃない。性的なものがなくなってもいっしょにいるってのは、すごいことだよ。（男と暮らす法 恋がおわってから C6-202p）

――至上の愛なんて、ないんだよ、ねえ。あるのは、ひとつひとつの男女関係が、どういうふうに、つきすすむかだよ。その程度の問題なんだ。（『いづみの残酷メルヘン』 346p）

それにしても、愛というものはやはり幻想でしかないのだろうか。気ちがいじみた情熱だけが愛だとは思わないが、自分をも許してもらいたいために相手を許して許してどんなことをされても最後まで許すような女は、もはや女ではないのかもしれない。そこまでいくと母親になってしまう。

娼婦になれなかったら、母親になるしかないじゃないか、とわたしは自分に向かってつぶやく。（私の同棲生活批判　73/3『婦人公論』）

「ううん、彼は、死ぬほど愛するひとよ。でも、そんなふうになるから、いけないのよ。いろんなものを見失うわ」（『タッチ』　305p）

わたしは一生だれもアイさない。これまでそうだったように、おそらくは、これからも。そういうふうには、生まれついていないのだ。（『いづみの残酷メルヘン』　227p）

あたたかさ

——あったかくはないわよ、けっして。あたたかさは獲得すべきもんじゃないから。もって生まれてこなかったら、ないものよ。（『いづみの残酷メルヘン』　225p）

いいわけ

「いいわけを知っている人生」を目撃すると、うんざりする。いいわけとはたいていの場合、彼がやってしまったことではなく、彼がやらなかったことにむかう。やってしまったという事実の大きさは、かわりはしない。なしえなかったことの後悔は、妄想の助けをかりて、どこまでも増殖しつづける。（乾いたヴァイオレンスの街　C5-36p）

怒り

——怒りはわすれることだ。さもないと、自分の感情に報復されることになる。（『タッチ』313p）

「そうなんだよ。おこる権利がなくても、人間って、勝手に怒り狂うことがあるからな」（『タッチ』236p）

生きがい

生きがいとは、陽の光とか、陽が沈むところを見ているとか、そういう感覚的なものだよ。その瞬間、瞬間を体験するために生きているんだなあと思う。（インタビュー　C8-213p）

ビートルズに熱狂しなかった、ただひとりの高校生だった。

生きがいとは、欲望に呼応するものである。だから、欲望のない人間は、生きていないのも同然である。ビートルズはもちろん、映画スターにしろ小説の主人公にしろ、自分がつきあう男たちにしろ、我を忘れるほど夢中になったことはない。いつもどこかに、醒めた意地の悪い自分がいた。

食べること、着ること、あらゆる意味での性的なこと、それらの欲望に全部を投入しきり溺れきったら、どんなに幸福なことだろう。幸福あるいは生きがいの源泉は、単純さであり、疑うことをやめてしまった怠惰な精神である。(ばら色の人生? 73/1『いんなあとりっぷ』)

生きる

——狂騒状態で毎日をすごし、痛みを感じるひまもなく不意に死ぬのが、わたしの理想だ。いつも走りつづけていたら、突然ゆっくりと歩くことなんてできない。(ああッ! C6-112p)

――充実した嵐の日々は、もうけっしてかえってこないのだ。できたら、あたしもそんなふうに生きたい。たとえみじかくても、灼かれるような日々をすごしてみたい。（なつ子　C2-383p）

――ひとは、じつは、いつも変わらぬ現在のうえに生きているだけだから。（なんと、恋のサイケデリック！　C3-47p）

自分が生きていくということに、どんな意味があるのか？　もちろん意味なんか、ありはしないのだ。しかし、人間は、自己の存在のよりどころがなくては、荒廃していくだけである。わたしは、自分を「夜の底をはだしで歩いている赤ん坊」のように感じている。アイデンティティがないのだ。（幻想の内灘　C5-197p）

――だってあたし、いまじゃ、生きてるふりをしてるだけなんだもの。それに飽きると、死んだふりをときおりしてみるけど。（いづみの三文旅行記　C6-151p）

フリーだハッピーだと信じていても、実際にそうだろうか。この現実には、フリーでもハッピーでもない要素が多すぎる。

わたしは生きていかなければならないのだ。できうるかぎりの錯覚や幻想を排除して。(涙のヒットパレード　77/4『宝島』)

ふたりで生きるということも、ひとりで生きていくのと同じように、覚悟が必要なのだ。わたしはわたしでしかありえない。わたしはわたし自身のために生きていく。エゴの固まりとして。それは人生に起こるすべてのことの責任を、決していいわけなどしないで黙ってひきうけていくことなのだ。(ばら色の人生?　73/1『いんなあとりっぷ』)

荒涼とした都会の叙情、神経をピリッと緊張させる暗さ、そんな風景に出会うと、どうしようもなく昂奮する。生きるということはすばらしい、と感じる。(ばら色の人生?　73/1『いんなあとりっぷ』)

ひとは陽気に生きなければいけない、と思っている。最近はかなり陽気に、というより、絶対に陽気にやってる。生きていることは楽しい。くだらないことはくだらないからおもしろいし、つまらないこともおもしろいし、おもしろいことはもちろんおもしろい。（……みたいなの　73/9『愛するあなた』）

意識

「意識がめざめた」という安易なことばは、どのようにひっくりかえし、どのように料理しようと、まさに偏見そのものでしかない。すなわち、安易である。（モデルガンを守る会　74/12『現代の眼』）

色気

――色気のある男というものは、いいものだ！　自分を守ることだけに精いっぱいの小市民に比べれば、輝きがあります。（冗談コロコロ、シラミがピョンピョン　73/9『愛するあなた』）

ウソ

「いかにもウソってすきよ。うれしくなっちゃう。わらえる」（ハートに火をつけて　C1-160p）

うたう

——悲しい歌をうたうとき、本当に悲しい顔をしていてはだめなのだ。未熟な人間はすぐに自分をむき出しにしたがる。（踊り狂いて死にゆかん　C6-162p）

うたう際に曲を理解する必要なんてない。いろいろな生活体験があるといい歌い手になれるなんて嘘だ。苦労しなくても娼婦の話をうたえればそれが天才というものだ。その方がいい効果が出る場合が多い。エンターテイナーとして立つつもりなら、体験なんて無色透明でいい。

（踊り狂いて死にゆかん　C6-163p）

浮気

もちろん、浮気はうまくやらなければならない。問題を起こすのがバカなのだ。わかっている女を相手にすれば、男だって追いつめられはしない。それは男のエゴイズムだといっても、女には女のエゴイズムがある。どこかで折りあわなくては、恋の楽しみは苦しみになってしまう。ごくふつうの、まじめな、という男や女は、恋を苦しみたがる。（働く母、未婚の母差別裁判に抗議する会73/6『現代の眼』）

運命

――運命にはすべて予行演習がある。伏線がはられている。（斎藤耕一における男と女　C7-251p）

一人の人を愛するとか言うけど、それは偶然だよ。そういう気分になってた時に、その相手が現われただけで、それを宿命とか運命とか感じるところからして間違ってる。そこからして自分を悲劇的なものにしてるわけ。（インタビュー　C8-209p）

永遠

生きているもののすがたはなく、太陽は衰弱していた。それは時間のとまった世界だった。ほんのすこしまえは、破局を告げるサイレンが鳴りひびいていたのに。いや、そんなことは別の世界のできごとかもしれない。彼らがそこに出現したとき、最終戦争はおわっていたのだ。そこは世界のはてであり、時間のはてであった。そのひとと彼女とは、いつまでも死ぬことができないのだ。永遠性を獲得しながらも、ふたりはゆきづまっていた。奇妙な目にみえない輪

のなかへ落とされたみたいだ。それは、なんというはるかな記憶だろう！（水の記憶　C4-180p）

——すべてのことは、はじまりでありおわりであり、一瞬のできごとでありながら同時に何十億年のことでもある。はじめとおわりは、いっしょになる。過去も現在も未来もない。それが永遠というものだ。永遠を知ることは、自らの宇宙と神を発見することだ。たいていのひとは、そんなことはかんがえないし、気がつきもしない。（水の記憶　C4-192p）

——永遠と一瞬は、長さがないことによって、計れないことによっておなじである、とわたしはおもうんです。時計の単位としたら一秒でも、永遠のときがあるし。（対談　楳図かずお　C8-64p）

SF

世界をどのように認識するか、がSFである。宇宙船がでてくればSFになる、というわけ

じゃない。（ノヴェライゼーションを読んでみる　C7-211p）

——要するに、もっとアナーキーになってもいいと思うわけよ、ＳＦ作家の知性というのは。

（対談　眉村卓　C8-156p）

——現在の社会体制というのは、ある意味で異常なわけでしょう。それを、そう感じないでいる人間が書くＳＦというのに腹が立つんですよ。（対談　眉村卓　C8-156p）

エネルギー

——すべてを賭けるといっても、その人間のもつ総体としてのエネルギーが問題なのだろう。質、量、ともに。（疑似情熱ゲーム　C5-63p）

エロス

非常に単純な健康的な、疑うことを知らないという女が多すぎる。そんなのは、むしろ動物に近い。エロティシズムを必要とするのは、人間だけであるからだ。裏表のある性格は罪悪だという人がいるかもしれないが、エロスとは本質的に罪につながっているものだ。（冗談コロコロ、シラミがピョンピョン　73/9『愛するあなた』）

男

男好きと宣言し、ひとにもそうおもわれるようにしむけてきた。自分はお山の大将にはなれないと信じてきたから、自我をもってしかるべきであるはずの男性に期待したわけだ。それに帰属することは、すなわち同化することのようにおもわれた。（乾いたヴァイオレンスの街　C5-23p）

わたしは、男たちにたいして期待しなかった。ということは、そのじつ、非常に大きな漠然としたのぞみ、かなえられないとわかっていながら他者に求めているなにかがある、ということだ。（どぎつい男が好き！　C6-68p）

男はやさしくてもいいから、心底《しんそこ》はつめたくなくちゃいけません。（鈴木いづみの『あきれたグニャチン・ポルノ旅行』　C6-132p）

――1回でも男といっしょに暮らさないとわからないことって、意外と多いような気がする。人生の半分、とまではいわないけど。（手紙　C8-292p）

――男は女よりもデリカシーがあり、それが男女の相違の本質なのだから、繊細な神経のない男なんかそれこそクズもいいところ。女の芸術家がだめなのはその点で、肉体から遊離し、他人をイライラさせるほどの感受性は男の方が優れているに決まっている。（わたしの性的自叙伝　C6-22p）

私は昔から犯罪者的想像力のある男が好きだった。彼は常に危険の感覚を持っているからだ。この状況が安心しきって生きていられるようなものかどうか、よく考えればわかることだ。はっきりいえば、感受性の鈍い男はまったく耐えられない。

自分がそうした点で鈍いせいか、と思う。だが反対に、神経質でイライラしやすいタイプだからかとも思う。むしろ私は、その二つの面を持ちあわせている。まったく異質なものがめまぐるしくいりまじって、自分の中でたがいに相容れないのだ。（犯罪者的想像力の男　C7-239p）

わたしは、もてる男というのが、非常に好きだ。どこがどう、といいきれない、へんな魅力があるから。（もてる男　75/5『小説クラブ』）

何にしてもとりつくろったり装ったりする男には、うんざりする。劣等意識か自信過剰のどちらかで、そのような平衡感覚の欠如している相手とは話ができない。わたしが男の子と性交渉をもつのは、もっとよく知りたいためなのだから。思わせぶりはやめようよ。（恋愛嘘ごっこ　73/9『愛するあなた』）

自由な発想のできる感受性の鋭い、そしてちょっときれいな子だったら、ほかには何もいらない。（恋愛嘘ごっこ　73/9『愛するあなた』）

男と女

むかし、地球には、女しかいなかった。平和にくらしていたが、あるひとりの女がいままでとはちがう子供をうんだ。からだつきも奇型だったが、やることなすこと乱暴で、ずさんで、さんざんみんなに迷惑をかけて、子孫をのこして死んでしまった。それが、男族のはじまりだ。

男たちの数は、その後ますますふえつづけた。戦争や、それにつかう道具を発明したのは、おそらく彼らである。もっといけないことは、さまざまな観念をもてあそび、それに熱中して生きることを、彼らはしはじめたのである。革命だとか仕事だとか芸術だとか。そういう形のないものにムダなエネルギーをそそぎこむ。そして彼らはそれこそが男のもっともすばらしい特質だとさえいったのだ。冒険だのロマンだのと、日常生活にはまったく役にたたないことに情熱をもやすことが。男たちというのはおとなであるのに子供で、複雑であるかとおもえば単純で、まったく手におえない生物だった。

女たちにも「愛」というものがあったけれど、それは観念じゃなくて、赤ん坊の泣き声をがまんして、ねむくてもオムツをとりかえてやることだった。たべものをみつけたら、自分が保護している、よわくてちいさい生き物にわけてやることだった。ただし、他人にはやらない。そんなことをしたら、自分や自分の血族が、生きていけなくなるからだ。

男たちの数がふえると、女たちは彼らのひとりひとりにくっついて、監視しなければならなくなった。それは苦労が多い仕事だった。だが、たいていの女たちには、その才能があったらしい。女たちは、家庭をまもった。(女と女の世の中 C4-9p)

——頭のなかはたとえ複雑であっても、単純そのものの行動。それが女にとっての頭のよさだと思う。できたら、男もそうあってほしいものだ。男はいつもよけいな理屈ばかりこねる。それが、この世界を終末寸前にまで、もってきた。ガタガタいわずにやるしかないのに。(女優的エゴ C5-185p)

男らしさってのは、多分に人工的なものだとおもう。女は、欲望がなくても不感症でも妊娠することは可能だが、男は不能というハンデをしょっている。男らしさの獲得は、女が女であることを獲得するよりも、むずかしい。(ホモにも異常者はいる! C6-217p)

世の中には、じめついた人間が多いようで、たいてい客観性のなさとむすびついているから、始末におえない。女は鈍感であってもしかたがない。そうでなかったら、妊娠した大きな腹で街なんかあるけない。だが、これが男となるとまことに困る。(無神経は女の美徳 C7-181p)

——元来、男らしいといわれている性質を女がもつと、非常に女らしくおもえる。迫力のある女は、女らしい。（カル・エルのその後は？　C7-174p）

女の特質といわれている嫉妬深さ、優柔不断あるいは執念深さ、かわいらしさ、やさしさは、男の特質だ。初恋の女をいつまでも熱愛しながら軽蔑を感じているいまの女を抱くのは男で、「一緒になれないなら死ぬ」ぐらいのことをいっておきながら、別のと結婚するとケロッと忘れるのは女の方であるという事実からも、それは明らかだ。（犯罪者的想像力の男　C7-244p）

ある男と性関係があったとしても、その男が女のものになったとは限らない。大部分の女と半数以上の男が、これを誤解している。女はどんなバカな女でも尊敬できない男とは付き合う気がしないものだ。相手に軽蔑を感じたらおしまいである。（冗談コロコロ、シラミがピョンピョン　73/9『愛するあなた』）

娘みたいな気分で男に接するのも、姉とか母親ふうになるのも、どちらもいやだ。サド・マゾに興味がないのは、心理の面で上下関係ができるからだと思う。同い年の感じでいきたい。（恋愛嘘ごっこ　73/9『愛するあなた』）

おとな

私はね、どうしておとなにならなきゃいけないのか、じつは、はっきりわかっていないの。不適応には自分も苦しむから、なのかしら？（手紙　C8-286p）

音楽

音楽は、理屈できくものだ。（変質者になりそう　C7-216p）

——たいていの音楽はきく側をだますようになっている。それは、音楽というもののもともとのしくみだから、しかたがない。やる側にそのような意識はなくても。（疑似情熱ゲーム　C5-75p）

モンスーン性気候のせいか、日本では湿った感受性がはばをきかせている。ニューミュージックだのフリージャズだの（ほかのなんでもいいけど、アーティストを自認してるお方は）自分の魂を売り物にしたり。あんなものは、だれでもみんな一個ずつ持ってるんだから、ことさら商品にしないでほしい。ほかになんにもないのかい、とききたくなる。前面におしだすのはあくまでもテクニックで、魂らしきものはその裏うちをしてる程度でいいのだ。（対談　楳図かずお　C8-59p）

快感原則で生きているタイプの人間は「わかるだろ？　な、わかるだろ？」といわれると、大脳皮質の古い部分が刺激されて、泣けちゃうのだ。ストイックに生きようとしているわたしは、エスよりも超自我の領域を強固にして、泣きおとしにはひっかかるまい、と決心している。

北一輝なんか、エスの衝動だけで生きてたんじゃないのかね？　フリー・ジャズって、だからいやなのね。テクニックがあるなしにかかわらず、魂をゆさぶろうと意図してるらしいところが、卑しく感じられる。なにが売りかというのが、問題なのだ。（ノヴェライゼーションを読んでみる　C7-212p）

——たとえば「イヤリング」とうたえば、耳たぶを指でつかむ、といった感じ。あれだけはやめてほしい。世良公則も、ちょっとそういう傾向がある。（変質者になりそう　C7-218p）

——歌手が売れる条件は、一に曲、二に本人の性的魅力だとおもうんだけど。（対談　ビートたけし　C8-13p）

うたわれることのない歌が、たくさんある。部屋にいても友だちにあっていても、その空間に死んだ子の魂のように、うたわれることのない歌が無数にひしめいている。才能があればすぐにメロディーが流れ出すだろうが、うたいたいのにうたえないから胸がつまって苦しくなる。

（踊り狂いて死にゆかん　C6-167p）

女

女は率直すぎる。口ではなにもいわなくても、女の顔は彼女の生活を露出する。だから、わたしは女優が好きなのだ。（女優的エゴ　C5-184p）

女らしい女には、たいていの場合、理解力がない。それよりもっと他人のなかへ侵入できるものがそなわっている。それを洞察力といってしまっては、男たちの知性（らしきもの）への冒涜かもしれない。つまり、一種のＥＳＰ《エスプ》なのだ。（女優的エゴ　C5-185p）

総じて不幸な女は、美しくはない。美しく不幸な女という観念は、思春期の少年少女や通俗メロドラマのなかにしか、存在しない。不幸は女をきたならしくする。それでもなおのこっているものがあるとすれば、それは外的な美をのりこえたなにものかである。

どんな境地におちいっても、幸福をもとめる姿勢といってもいい。毒と知りつつ不幸のなかに身をしずめ、なおかつ幸福をもとめずにはいられないエゴである。(女優的エゴ　C5-189p)

――女に固有の思考方式もきらいである。女が女である部分は、その肉体だけで充分すぎる。頭脳まで女っぽい必要はない。女っぽい女の思考における基本的呪文は「こんなにあなたを愛しているのに」。たまったもんじゃないよ。愛された方は。(こんなにあなたを愛しているのに　73/9『愛するあなた』)

しかしまあ、情緒にながされる人間は、じつに多い。映画をみて泣くやつがきらいだし、他人の結婚式に感激して泣くような女もきらい。頭のなかの制御装置がこわれている、としかおもえない。

支配的におしつけがましいくせに、あたしはクールだから他人には無関心なのという女、クロワッサン路線で生きていて「彼とわかれて成長したわたし」なんていう女は、みんなきらい。

男ひとりとわかれたぐらいで、成長なんかするか！　愛とは結婚とは自立とは、といいだす女は、その場にはりたおしてやりたい。

たとえば殺されたときに「近所でも評判のしっかり者」といわれるような未婚の女がきらい。ひとのせわをやくことによろこびを感じる女がきらい。「彼って、ひとりじゃなんにもできないのよ。靴下まであたしがはかせてあげるの」と得意がってるような女だ。（怒り狂う毎日　C7-201p）

女の頭のよさには限界があって、個性のわく組みをこえられないもんなのだ。たいていの子は、明快さをめざすから。客観性とか自我を獲得したって、個人というりんかくのなかに閉じこめられてしまう。その世界とのさかいめがはっきりしない、よどんだような霧みたいなあいまいもことした知性、をもった女は、めったにいない。それをやると、変態になる。（変質者になりそう　C7-220p）

女が存在感にあふれていてなおかつ低俗ではないのは、低俗という観念すら形成できないのが、その本質だからである。これは別に悪口ではない。（なんたるシリアス路線　73/9『愛するあなた』）

書く

ことばを選択するには、検閲制度とか、意識の操作がかなり行なわれている。絶望の文学などといっても、書いているうちはまともなのだ。知的な操作ができる程度の健全さを持ちあわせなくてはならない。まともでなくなったとき、ことばは力を失う。

ことばが世界だ。自分自身からいったん離れて対象をみつめなおす冷静さがないと、ことばを扱うことはできない。わたしには、ことばの世界、意識が明瞭である世界に生きていたい、という願望がある。わけがわからなくはなりたくない。（踊り狂いて死にゆかん　C6-168p）

ものを書くということの不潔さといじましさに、いやけがさしている。深夜ひとりで机に向かいシコシコ書いていると、憂鬱が風のない日にデパートの屋上から見えるスモッグのように拡がる。このようにことばをうじうじとつっついて何になるだろうと思いはじめ、「ことばが眠るとき、かの世界がめざめる」ではないが、我々に必要なのはことばじゃなくて暴力であると感じたりするのだ。（彼らにとっての演劇　70/10『話の特集』）

原稿を書くという作業は、ことばがまったく肉体とかかわらないために、大江健三郎ではないが、真の経験とはなりえないのではないか、と思ってしまう。（彼らにとっての演劇　70/10『話の特集』）

「たとえば、男でも……男でも女でもそうだけど、理屈を言う場合にね、どのように理屈を言わないように理屈を言うかが問題でしょう。情念とか、観念とか、最低でしょ。だから、そんなのをみせないで何かを言うというのが大事なのよ……その技術こそが問題じゃない」（でらしね談義　萩原朔美×鈴木いづみ×岳　真也　うれしさでいっぱいです。〈感覚と表現〉73/10『蒼い共和国』）

書いていく過程にしか、おもしろさを感じない。わたしにとっての文章は、すべて瞬間として通り過ぎていきます。（そして、いまは……　――あとがきにかえて――　73/9『愛するあなた』）

過去

わたしは、自分には過去がない、とおもっている。二十歳以前、というのがまるでなかったような気がする。そのころの記憶はあるのだが、感情をともなってこない。感情があったとしても、感情そのもののなまなましさはなく「あのとき、ああ感じたのだ」という、記憶でしかない。わたしの十代は、貧しくこっけいだった。わたしの十代には、輝かしいもの、ほろ苦いもの、ひりつくようなものがなかった。（あらかじめうしなわれた「青春」のすがた　C7-38p）

学校

だいたい私は学校が好きじゃない。子供のころから、学校が楽しいと思ったことなんて、一度もない。そこには疎外しかなかった。私にはわけのわからないことばをしゃべるチビ共でいっぱいの、呪われた場所でしかなかった。子供の私にとって仲間はずれの意識は非常に苦痛だった。希望いっぱい、楽しそうにやっている連中は、いつでも別種に感じられた。（犯罪者的想像力の男 C7-243p）

家庭

家庭というものは体制そのものである。秩序と協調性なくしては維持できない。現体制を崩壊させようと思うのなら、ひとつひとつの家庭をつぶしていけばいいわけだ。（なんたるシリアス路線 73/9『愛するあなた』）

歌謡曲

歌謡曲がきらいなのは、泥くさいとか押しつけがましいとか理由はいろいろあるが、何より音がみえないからいやなのだ。聞くたびにちがう、ということがない。音がひとつひとつ分解して自分がその中で浮遊し、一種の恍惚状態に達するということができない。どんなつまらないロックナンバーでも、リードギターとサイドとを聞き分けることはできる。実際に演奏がやかましくつづいていても、リードだけを聞いていればその最中に二秒ほどの空白を感じることだってできる。それは妙な不安を抱かせるのだ。

歌謡曲にはその種の不安がない。リリシズムがない、ということだ。歌謡曲は、涙、港、女のため息で迫って、いかにもぬれているように思えるが、そのことばのひとつひとつは何ら具体性を持っていない。その背後にひろがる個人的体験の象徴でしかない。抽象的だからこそ、聞く方が自分の体験にひきつけておくことができる。普遍性があって開かれすぎている。普遍性であるがゆえに、あまり深く入りこんでこない。いつもいつも、同じ受けとり方しかできない。誰にでも体験できるのが、歌謡曲だと思う。(踊り狂いて死にゆかん C6-160p)

感覚

「わたしは、人生を愛しすぎている」と、よく友人にいう。もしかしたら、全然愛していないのかもしれないのに。何が大切であるか、何に対して欲望を感じるのかハッキリわからない人に、人生が愛せるはずはない。

だから、生きがいと訊かれても、答えられはしないのだ。わたしが人生において愛するものは、感覚だけなのである。（ばら色の人生？　73/1『いんなあとりっぷ』）

感受性

――感受性が鋭くてしかも元気でいる、というのはむずかしいもんだね。（手紙　C8-243p）

感情

私は感情におぼれないけど、感情のボルテージは非常に高い人間（手紙　C8-246p）

いまの世の中だと、何かにつけて過剰はダサイと思われているけど（たとえば感情エネルギーの少ないほうが、対人関係で得であるというような）、それは、マチガイだと思う。感情はとても大切なもので、理性が気づく前に（データがそろう前に）インチキやマヤカシを見抜く力がある。（手紙　C8-277p）

「本気」と「勉強」すなわち、「気分」と「雰囲気（状況）」ではなく「意志」と「感情」において、何事かを選択したい。（手紙　C8-278p）

わたしは気がよわくてまじめなひとだからどのような形であれきまじめな人間がすきである。そして自分の価値基準は、すきときらいとそのグラディエーションしかないのを知っている。

自分には「意志」というものがなく、それらしくみえるものはすべて「感情」のボルテージのたかいものだ、ということも。だから価値観などと高尚ぶっても、感情でしかない。感情は「気分」とはまたちがって、持続していくものだ。（衝動を軽蔑するカボチャ頭　75/6『婦人公論』）

記憶

――人間というものはおそろしいことはすぐにわすれてしまうようにできている。（いつだってティータイム　C5-7p）

――記憶というものは増幅され美化されるものなのだ。（時と共に去りぬ　C7-123p）

――記憶していなければ、なかったこととおなじなのだ。ひとはだれでも、あとになってから自分の物語をつくる。（「気持ちがいいかわるいか」考える必要はないのだ　C6-55p）

奇人

孤独に耐えうる肉体の持ち主でないと、奇人として存在できないのではないか？（幻の影を慕いて 73/9『愛するあなた』）

気ちがい

「世のなかのひとって、ほとんど全員が気ちがいなのに、本人もまわりも気がついてない。よくみると、おかしいのがいっぱい、いるのに。モノクルオシイようなのが」（対談　楳図かずお　C8-60p）

救済

「そんなこと、できないわ。だいたい、ひとがひとを救うなんてこと、決してできやしないのよ。二十五にもなって、そんなことがわからないの?」(『タッチ』　256p)

教育

——わたしたちは、周囲が期待し強制する、わたしたちがもつべきである「ある種の気分」なり「感情」なりを、自分のものであると錯覚すべく、訓練をうけてきた。それが教育というものだ。他人の不幸には同情し、パーティーではうきうきするように、しつけられてきた。(乾いたヴァイオレンスの街　C5-37p)

狂気

——風や光や温度に、半年ちかく気がつかなかった、と思う。気が狂っていて。（ハートに火をつけて　C1-227p）

わたしはいま気が狂っている。本人がいうのだから、まちがいはない。（超能力か精神異常か？　C7-127p）

あたしは気が狂う。あたしは生きてるのがこわい。思いつめた自分を、なんと知性で救おうとして、わたしは図書館へ通った。いま思えばくだらないが、ほかに方法もなかった。（……みたいなの　73/9『愛するあなた』）

郷愁

郷愁とは、でっちあげである。（ひとつの幻想のおわり　C5-171p）

恐怖

——自分が肉体的に傷つけられることへの恐怖はすさまじいものだ。体制が組織が、といってもあいまいな恐怖にすぎない。（乾いたヴァイオレンスの街　C5-36p）

おそろしいものは、目のまえのナイフだ。直接の暴力、生命の危機ほど、恐怖心をよびおこすものはない。（乾いたヴァイオレンスの街　C5-19p）

言葉をもたないというか、からだでしか表現できない恐怖感というのはすごいと思う。（しらけたッ！　対談　嵐山光三郎　73/9『現代の眼』）

教養

わたしは、教養のない人間が大きらいだが、それは料理とセックスにあらわれる。このふたつがへたな男や女はダメだと思っている。（本を読まないこと　73『終末から』創刊号）

クスリ

クスリはやめよう。

わたしはかるく決定した。（ハートに火をつけて　C1-30p）

酒呑みはきらいだ、とわたしはかんがえた。ベタベタしてるから。みんなといっしょに飲んでコミュニケーションを活発にするのがアルコールだから。ひとと気軽にはなすのが、それほど大切なことだとも思えないし。

なぜわたしがクスリがすきかというと――ケミカルだからだ。人工的なウソっぽい陶酔の世界だから。ひんやりと酔うから。（ハートに火をつけて　C1-36p）

クスリなんて、ガキのやるものよ。強姦、まわし、けんか、万引き、その他もろもろの不良行為とおなじく。ただし、プロはそのかぎりではない。（好きと決める　C5-175p）

このような時代をしらふで生きていくことはむずかしい。だが完全に酔ってしまうこともできない。だったら、酔ったふりをすることしかできないだろう。やがて忘れられるはずの歌でも口ずさんで。

ままよ、この世は地獄。その最後の日まで、われらみな、踊り狂いて、踊り狂いて死にゆかん。（踊り狂いて死にゆかん　C6-174p）

——たとえば「……だから、好きになる」のではなく「なんの理由もなく、好きと決める」ほうがいい。それとおなじように、クスリによってうごかされるのが気持がわるい。（好きと決める　C5-182p）

——クスリは遊び好きの男の子みたいに、やさしくてひどくつめたい。一夜をともにすごし、もう何事もこわがらなくてもいいんだ、と思わせてくれる。少しもこわくない。痛みもない。それどころか気持ちがいい。

浮遊している。おそろしい世界と自分との間に、透明ビニールの厚い壁がある。それはやわらかくあたたかく、外界からの刺激を夢の中のできごとみたいに二秒おくれでつたえてくれる。自分が何をしているか理解するのにも二秒はかかる。みじめさは色あせる。芝居の登場人物みたいな気分になる。

いつもなんにも変わりはしない。

クスリはまだいくらか神経に残っている。やさしくてつめたい男の子が去ってしまったときみたいに、かなり長い間ぼんやりしている。ネルソン・オルグレンは『朝はもう来ない』を書いたが、もし本当にそうなら精神病院から出て死ぬやつも減るだろう。

朝はいつだって正確に苛烈にやってくる。夜だけがつづくなら、自分が見たい物だけに光をあて、白い錠剤をのんで、はじまったとたんクライマックスで、それが延々つづきいつ終わるとも知れない、そんな音楽を聞いていればいい。

いつもクライマックスなのだ。それがあまり長くつづくので、痛みも何も感じなくなってくる。（ああッ！　C6-104p）

経験

どんな行為も経験とならなければ、過去（それがたとえ一時間まえでも）の重みをもたない。（女の浮気術　バレない浮気なんて、つまらない！　74/4/27『女性自身』）

芸術

——芸術とは「美を追求しながら永遠性をめざす」ものだと思う。（手紙　C8-258p）

芸術家

――ゲイジツカは、本来はエゴイスティックなものです。（うわさのあの子　C7-278p）

本気でそう思うわけよ。アーティストというのは、この現実世界のルールで生きてるわけじゃないんだから。自らの想像世界に忠実なほど、より才能が発揮されるのだから。（手紙　C8-259p）

しかし、多くの独創的人物（芸術家とかそういうのではなくても、いるでしょう）に共通することは、何かの過剰だということです。（手紙　C8-276p）

軽薄

あたしの日常は、軽薄そのものだ。いかにも嘘だらけで、じゅうぶんに幸福だった。だって悲しいことしかないとわかったら、笑うしかないじゃない。

眠りの内ではいつも悪夢にうなされたが、そのくらいのことに屈服するあたしじゃない。夢のどろどろした部分をふり捨てて、クスリを飲まなくても飲んでいるような状態でいることができた。

軽薄こそは、われわれが最後に目ざすものだ。（あまいお話　C6-26p）

——相手が場数《ばかず》をふんできていてわかってる人間なら、いくら悪ふざけをしても決して「軽薄で中身がない」などとは思わないものだ。まだいくらか本心がちらっとのぞくようでは、彼の修業はたりない。（踊り狂いて死にゆかん　C6-172p）

軽蔑

まず、頭がいいこと。これは大事な問題で、というのも女の子というものは、どんな女の子でも、自分が尊敬できない男とはまじめにつきあおうという気をもちあわせていないから。この点、女は残酷である。女が男をいやになるとき、それは軽蔑というかたちであらわれる。（もてる男　75/5『小説クラブ』）

結婚

結婚という形の別れもある（『いづみの残酷メルヘン』　66p）

たいていの未婚の女は、愛を夢見て、結婚したがっている。結婚して、いまより事態が悪くなるだろうとは考えない。誰だって、決して！　悪くなったら取り消せばいいんだし、腕次第では気楽にやれる。（花咲く丘に涙して　C6-43p）

結婚相手の条件として「空気みたいなひと」というひとがいるが、わたしはそれが耐えられないのである。どんなに善良でも、自分の内奥にはいりこんでくるような感受性をもっている相手でないと、イライラするのだ。それは「心の中に土足で踏みこんでくる」のとはちがう。

わたしの心はそんなにやわなものじゃない。勝手を知らない迷路に踏みこんでなんかこれるわけないじゃないか。

ほんとうは踏みこんできてほしい。だが、それもおそろしい。そしてたいていの男は、踏みこんでなんかこれなかった。

わたしは、じゃまにならない相手とながくいると、その空気みたいな存在に、イライラしてくる。結婚して、よけいに淋しくなるのはいやなものだ、とおもってしまう。（どぎつい男が好き！　C6-67p）

欠落感

——この世に安心できる場所など、どこにもないのだ。自分にはおそらくなにかが欠けているのだろう。ほかのひとたちがもっていて、もっていることが当然であるようななにかが。（水の記憶　C4-187p）

原風景

どこか非現実な感じのする風景が、自分の回帰する場所だという気がする。ギラギラと無慈悲にひかる巨大なドーム型の空のまんなかに、動かない太陽がはりついている。それはチーズのようでもあるし、目玉のようでもある。その太陽にみつめられてひとびとはアリとなって意味もなく地面をはいずりまわる。とおくから破局をつげるサイレンがきこえる。

小学生のとき、空を半球型にえがいていた。ほかの子供は地面と空とを平行にかいていたのに。

空が半球型である、という思考形態は原始人のものだ、とだれかがいった。（ふしぎな風景　C5-252p）

現象

インチキだからみないとか、やらない、という発想はもっていない。それが真理であるか否か、よりもどうしてそんな現象がおこったか、のほうに興味がある。（だれもが変態になっている　C5-151p）

このごろは、少しはなれて、すべてを現象として見るようになった。すると、現象としての面白さは、言葉で表現される以前のものにしかないです。文章というものは、すべて整理整頓の結果であるからですね。（しらけたッ！　対談　嵐山光三郎　73/9『現代の眼』）

幻想

消え去った幻想を、わたしは追い求めている。美しかったり、ハデだったり、カッコよかったり、おもしろかったり、気持ちよかったりしたら、とにかくなんでもいい。マガイモノだろ

うが、なんだろうが。(ハートに火をつけて　C1-29p)

——自分や風景にたいしてだけではなく他人に幻想をもつことができないのは、非常にさびしい、つらいことなのだ。(公園はストリート　C5-110p)

……はじめっからなにもなかったのかもしれない。「あった」というのはひとつの幻想である可能性がつよい。(……うしなってきたもの　C5-144p)

——幻想とはある特定の人物やことがらにたいして抱く、訂正することのできない大きな錯誤であり誤解である。幻想をもつことのできる人間、それを信じきることのできる人間は、だから幸福なのだ。

わたしは、幻想をもつことすらできない。では、疲れきってしまったときは、どうしたらいいのだろう。(ふしぎな風景　C5-260p)

だが、幻想もまた現実の一部だ。（幻の影を慕いて　73/9『愛するあなた』）

恋

思春期のわたしは「恋とは性欲の対象の固定化でしかない」とおもっていた。それはさまざまな偶然――相手の美貌、性的魅力、雰囲気、設定としての劇的状況と危機、あるいは危機感。これは、いまでもかわらない。恋というものは偶然に支配されている。ほれぼれするような美貌なんて、努力によって得られたものではなく、宝クジにあたったようなものだ。（メロドラマ？　もちろん好きよ　C7-49p）

――恋愛はくせで、なんとかなおしたい。別に、恋がよくないとはいってないけど、つねにしてるってことは、つねに病気というのと同じだから。（手紙　C8-274p）

両方とも幻滅を経験していて「わかってしまった時点」からはじまる恋愛がロマネスクなわたしの夢。（冗談コロコロ、シラミがピョンピョン　73/9『愛するあなた』）

「失恋しても、空はきれいね」（『タッチ』　313p）

後悔

――人生に満足してないのだ。いや、このいいかたは正確じゃない。〈彼女〉は、自分の過去を、なかば恨みつつ、執着せずにはいられないのだ。なにもなかった、なにもしなかったことの後悔を、くりかえして味わっているのだ。（ユー・メイ・ドリーム　C4-251p）

幸福

――わたしは不幸がすきではない。だが厚顔無恥な「幸福」は大きらいだ。（幻想の内灘　C5-201p）

――貪欲なわたしとしては『スプーン一杯のしあわせ』なんか、ほしくない。そんなものは、ないほうがいい。できたら「太平洋いっぱいのしあわせ」ぐらいがほしい。そうでなかったら、不幸のどん底がいい。個人的なちいさな世界しか手にいれられないのだとしたら「ヴァージニア・ウルフって、やっぱりこわいわ」くらいの生活をのぞむ。（もっと夢中になれる青春映画ってないのかしら!?　C7-111p）

――エロスではないものによって、「他人」に深く関わろうとする者は、幸福など求めてはいないのだ。（「他人」の幻影　あるいは幸福論　C6-89p）

人はみんな幸福になりたがる。とうていなり得ないと思ったら、今度はメロドラマティックに生きたいと願うようになる。どちらにしても、自分のみにくさを知るのは、いやなことだ。不幸であっても美しいという人物は、メロドラマの中にしか存在しないのだ。（斉藤耕一における男と女　C7-254p）

おねがいです。どなたか、わたしをわかってください。わかってくだされば、それだけで幸福になれます。（わらいの感覚　C5-214p）

――男は女を幸福にしてやることなんか、できはしないのだ。男は、だから、なるべく幸福そうな女を選ぶのがいい。ものごとを深く考えず、自分本位で、罪悪感など決してもたないような女を。（冗談コロコロ、シラミがピョンピョン　73/9『愛するあなた』）

だれでもごくわかいころは、くだらないことをするものだが、そんなトム・ソーヤー的要素はしだいにうしなわれていく。わたしも気分のいい朝などなんの理由もなく気ちがいじみた幸福感につつまれることがあるが、そんなとき道をあるいているとだれがみていようがかまわずに踊りだしたりしたことがある。だしものは「雨にうたえば」で、うたいながら手をふりまわして、タップ（のような動作）をやる。たのしくやりたいときに、そういったおかしなふるまいがでてくる。子供じみているのかもしれないが、本人はうれしくてたまらないのだから、どうしようもない。いわば一種のいたずらのようなものだ。（ディーン、あなたといっしょなら　C7-110p）

孤独

――私は誰の助けも借りずに、私自身の「孤独」を充実させる以外に、手はないのだ。私は犬みたいにがんばらなければならない。（喪失感の中で　C6-101p）

ずいぶんむかしから、彼女はひとりだった。いつだってひとりだった。ひとりでねむり、ひ

とりで目ざめ、ひとりでぼんやりしていた。（水の記憶　C4-176p）

自分がどこにも属さない人間である、と感じるときがある。この世界にたったひとりで、夜の底にはだしで立っているような。そんなときに何かすがるもの、昔の思い出のひとつでもあれば、気が狂わなくてもすむだろう。プルーストはマドレーヌというお菓子の香をかぐと昔にかえったらしいが、それは「失われた時」がはじめに存在していたからだ。（踊り狂いて死にゆかん　C6-168p）

——帰っていくおうちがない。生きていても死んでいても、誰も気にかけやしない。（踊り狂いて死にゆかん　C6-168p）

女も孤独に生きられる。子供を持つ持たないは別にして。そして、男も。（自らの中で完結する行為　C7-264p）

私は、ひとりで解放感にひたっている。つくづく感じることは「ひとりでいるのがいちばん好き」ということ。（手紙　C8-273p）

誰も自分が何をしているか知ってはいない、と思う。いまこんなふうにひとりでいて、不意に死んだら誰も気がつかないだろう。以前頭がおかしかったとき、わたしは、眠っている間に誰も知らないうちに自分は死ぬのではないか、と思った。それで眠れなかった。（火星における一共和国の可能性　73/9『愛するあなた』）

子供

「だから、いまの子供はこらえ性がないとか、なにをしていけないのかわかってない、とか批判のマトになったりしますけど、あれはおとながいけないんで。テレビなんか見せるから。レールに石置いたら、おもしろかんべえって、すぐに石を置いたり。現実と虚構の境めがなくなってるんだ、とおもうんですよ。あれは子供の責任というより、すべてがニセモノ的な世の中だから、自分が実際に行為してるかどうかさえ、わかってないんじゃないか、という……」（対談　楳図かずお　C8-63p）

「子供を産み育てることは、この世のどんな創造行為よりずっと偉大なことだ」なんて、よくいうじゃん、腹たつわけよ。だって、バカがバカを再生産してるだけじゃないか。カネと手間ひまかけて。（鈴木いづみの甦える勤労感謝感激5　SFをさがして　80/11『ウイークエンドスーパー』）

――奇妙なほどに自分の子供をほしがっていた。だが現実の子供は頭のなかでかんがえていたものとはちがって「他人」だった。（うしなってきたもの……　C5-145p）

媚びる

……他人に（大ゲサにいえば社会にだ）受け容れられるために、媚びることに耐えられないのだ。（犯罪者的想像力の男　C7-244p）

サービス

――全部がポーズのようでもあり、本気のようでもあり、どっちでもいいわけよ。いろんな態度するけど、結局サービスみたい。（ユー・メイ・ドリーム　C4-260p）

才能

「ひとは、自分のもっているものしか、もっていないのだ」（あとがき　C5-262p）

——才能がないといわれても平気なのは、ない才能は努力によっても得られない、とおもうからだ。（だれもが変態になっている　C5-159p）

だいたい、なにかを習得するのに、他人にカネはらって教えてもらう、なんて、わたしはいやでたまらない。独学でモノにするくらいでなければ、才能なんてない、とおもっている。（夢みるシャンソン人形　C6-279p）

感覚的なことって、ちっともよくないと思うよ。私は洗練っていうか、なるたけ自然から離れた、動物的なものから離れた才能みたいなものは認めるけど、動物的な意味での才能というのはそんなに認めたくない。（インタビュー　C8-209p）

「それと、私、才能っていうの判らないわけ……というのは、今の世の中で才能あるって言われるのはね、音楽やるにしても映画やるにしても、モノ書キにしてもさ、その分野の才能そのものよりも、むしろ政治的な才能に富んだ人なんじゃない？　政治的にね、巧い人なんだよ……現代で才能のある人というのは」（でらしね談義　萩原朔美×鈴木いづみ×岳　真也　うれしさでいっぱいです。〈感覚と表現〉73/10『蒼い共和国』）

刺す

目ざめると夕方で、重苦しい気分はまだつづいている。彼はぼんやりした頭で、もう自分には何もできないんだから、人を刺すぐらいのことはしなければならないと考え、そう考えたことに衝撃を受ける。

人を刺す。そうだ、それ以外にない。ジニと寝たってそれが充分いいとは保証できないだろう。

彼はナイフを買いに行く。赤い柄のついた果物ナイフを手に入れ、部屋のすみでクマの縫い

ぐるみを刺しつづける。（九月の子供たち　C2-186p）

挫折

「あなたは挫折したことがないから、そんなふうにお気楽なんだ」

ずっとむかし、ある男に決めつけられた。デリカシーがないと非難されてひらきなおれるほどデリカシーがないことはなかったので、わたしはひどく傷つけられた。当時十七歳で、「挫折」ということばは知っていたが、実際、体験したことはなかったからだ。その後、たくさんの友人がたやすく「挫折」するのをみた。ダメになってくると、はじめのうちは痛みを感じるが、すぐになれてしまうらしいのだ。おちつづけていくあいだじゅう、はじめにもっていた価値観なり世界観なりを保持するのは、むずかしい。しかも、底なしときている。

わたしを非難したご当人は、どうやらそののちも、ずっと「挫折」しつづけたみたいだ。あまりに簡単にギヴ・アップするのをみつづけると、ありがたみもなくなる。彼は自己正当化のために、そのときどきの理屈を急遽製造しつづけた。夢中になって人生を計算しようとあせっていたが、生まれつき計算だかくはなかったのがあわれだ。彼の「挫折」とは「やる」といったことを、自分がやらなかったことをさすようなのだ。いくら同情してみようとしても、それでは彼が「キャイン、キャイン」としっぽをまいて逃げだす図、としかおもえない。（乾いたヴァイオレンスの街　C5-33p）

差別

ひとは、たやすく挫折など、するべきではないのだ。挫折してはいけないのだ。社会や組織に負ける、といういいかたがある。負けたと実感できるのは、最初のうちだけだ。わすれることはできないにしても、正当化のためのいいのがれはいくらでもできる。そのうち、自分のいいわけを信じるようになってくる。（乾いたヴァイオレンスの街　C5-34p）

でも普通、安っぽいヒューマニズムでいくと、人間に貴賎はないと言うでしょう。絶対にあるんだよ。下らない人間っていうのと、魅力のある人間と、ない人間と……。人はみんな違うんだから、それは当然なんだから……。（インタビュー　C8-212p）

死

――女の子が去ったくらいで死ぬ、ということもありうるが、そのためだけに死ぬということはありえない。もし死ぬとしたら、彼は自身の暗闇のために死ぬのであって、女の子のためにではない。（いつだってティータイム　C5-18p）

――あたりまえだが、時間は死にむかっておそろしいはやさでおちていくのだ。一瞬一瞬は、回復不能なのだ。とりかえしのつかないことの連続の、そのまっただなかに投げだされているのに、ふだんはだれも気づかない。（乾いたヴァイオレンスの街　C5-36p）

——死をおそれず、なんて不可能だ。わたしは死ぬのがこわい。死にたくない。死をおそれず、ではなく「死をおそれつつ闘う」のではないだろうか、と愚考する。暴力はいつだっておそろしい。ある暴力的な行為を「ばかばかしい」とかたづけるのは簡単だ。だが、そういうひとはどんな方法で、この世界にたいする恐怖心をのりこえているのだろうか。（乾いたヴァイオレンスの街　C5-38p）

老衰したい。ジタバタみぐるしくあばれて「死にたくない」とわめきつつ死にたい。老衰死のまえに、ぜひともエロティックな本をかいてみたい。そのときには、待望の色情狂になっているかもしれないし。（わらいの感覚　C5-211p）

……生きている者はどうしても死者にかなわないところがある。死んでしまった者は、あとにのこされた人びとのなかである種の永遠性を獲得する。（ディーン、あなたといっしょなら　C7-109p）

死ぬという、そのこと自体は、じつにあっけないものだ。その現場にたちあえば、他人がおもうほどすごいことでないのは、すぐわかる。ひとは簡単に死ぬのだ。だれかの死がおもい意味をもつのは、その不在によってである。不在によって、死ははじまる。（もっと夢中になれる青春映画ってないのかしら　C7-117p）

自意識

私は客観性ということに神経質になった。思春期特有の、自分を大げさに考えるあの自意識が、大きらいだ。だが、ひとりよがりになりたくないという思いの極端さは、自意識過剰の裏返しでもある。（「他人」の幻影　あるいは幸福論——マリイは待っている　71/3『現代詩手帖』）

時間

「ねえ、すごくはやく年とった気がしない？　もはや、老女みたいな気が」

わたしは、身をのりだした。この感覚は、自分だけのものなのか。時代が持っているのか。

（ハートに火をつけて　C1-27p）


「人間のいないとこに、時間はないとおもうんだ。必要があったから、ひとは時間という観念をつくったんだ。ものごとのならべかたの順序としてさ」

「じゃあ、歴史はどうなるの？　あたしたち、正しい歴史をさがしてるのよ。人類はいつ、どんな方法でここへやってきたかってことを。やってきてから、どんなことが起こったか、知りたくないの？」

「このごろ、なんだか、そういうことに興味がなくなってきたんだよ。どうでもいいじゃないか、って気がしてきた」

「おまえ、それは危険な思想だぞ」（夜のピクニック　C3-276p）

――「時間はながれて、地球はいくつもの歴史をもって、おとろえていく。それだけだ」（女と女の世の中　C4-25p）

「……ほとんどの人間は、まったく意に介さず、しっかりと固有の時間をもってる。所有してる。なんてすごいぜいたくなんだ、とそのときのぼくはおもった。時間をうしなうってことは、世界をもうしなうことだ。世界と自身が、同時に崩壊する。

きみをみてると、時間を内包してる感じがする。きみのなかに、すべてのものごとの、はじまりとおわりがある。だから、安心するんだな、おれは。そばにいると」（ペパーミント・ラブ・ストーリィ　C3-352p）

――いまだに十八歳の、あの気分でいる。百歳になったって、十八でいられる。（『いづみの残酷メルヘン』

203p）

自己喪失

さびしいというのも、たまらないだろう。わたしはだれかといっしょにいてさびしい、と感じるのがいちばん耐えられない。だが、それにも疲労してしまって、もうなにも感じなくなるときがくるのではないだろうか。それこそ、自分に裏切られるときなのだ。自己というものを見失うときなのだ。（ふしぎな風景　C5-259p）

仕事

仕事熱心なのは、仕事をする以外のことを考えつかないからだ。ほかに能がなかったら、仕事に生きるより仕方がない！（花咲く丘に涙して　C6-44p）

「才能だけじゃ、仕事はできないのよ。その人間の全生命力をかけなくっちゃ。情熱のボルテージよ」（『いづみの残酷メルヘン』　196p）

自己破壊

ひどいことをされると死にたくなる、のはそれによってうちひしがれるからではない。力をうしなったからではない。憎悪のエネルギーがたまり、それを外部へむけることが困難であったからだ。なにものかへぶつけると、そのしかえしがこわい。はねかえってくるものを、もちこたえることができない。自分の感情に、責任をもてない、ということだ。自己を破壊するかぎりにおいては、だれも文句をいわない。（乾いたヴァイオレンスの街　C5-22p）

不健康になりたい欲求がどこかにある。（幻の影を慕いて　73/9『愛するあなた』）

自己不確実感

自己不確実感は、絶えず私の中に増殖しつづけるガンのようなものだ。顔を洗うのにどのくらいの時間をかけていいのか、ということまでがあいまいになってしまう。私の日常は、分裂症的なその疑問のうちに、少しずつくずれていく。(喪失感の中で　C6-101p)

自殺

——物書きが自殺したりするじゃない。あれはカッとなって自殺するわけじゃないと思うわけ。すごい冷静になって死ぬんじゃないかという気がする。

もう全部虚しいとか、生きていてもしようがないとか言って、非常に冷静な眼で見ているような気がするのよ。(インタビュー　C8-204p)

視線

「そうなのよ。とにかく、世界じゅうの男の視線をあつめるべく、出発したの。ある朝、目がさめたときからね」（『いづみの残酷メルヘン』 291p）

絶えず見られているという意識をもつはずの、ロマンチックな年齢から、わたしは急速に遠ざかりつつある。百年も生きたような気がしている。もう、見られる側から見る側へと、まわってしまったのだ。そしてそれは、いかに自分をごまかすか、の問題でしかない。（幻の影を慕いて 73/9『愛するあなた』）

時代

時代のせいにするのは、やさしい。実際、六〇年代より七〇年代のほうが、一口でいえば

「時代が悪くなっている」のだし、これからはますますきびしい状況になるだろう。政治がわるい、などと簡単明瞭にいえない、大きな何物かが、わたしたちにおおいかぶさってくるにちがいない。それらのものは、テレビや雑誌や新聞やファッションという形をとって「家庭」にはいりこみ、そこで根をおろすだろう。目にみえる敵ではなく、むしろあまい誘惑として映るさまざまなものが、わたしの価値観をかえ、支配するだろう。そんな気がしてならない。（幻想の内灘　C5-193p）

七〇年代には、心情が過度に評価された。退屈な一〇年だった。わたしとしては、思い出したくもない。（書評　C8-339p）

じっと待ち、ただ忍ぶのみ、にもあきあきした。いくら耐えていても、時代はどのように悪いかによってちがうだけなのだ。（これぞ男の生きる道　74/3『太陽』）

嫉妬

――人間がもちうる感情のなかでいちばん強烈なものは、嫉妬である。それには、他のすべての感情が集約されている。愛情、憎悪、羨望、憧憬、同一化の欲求……その他もろもろが。（きのうはきのう、あしたはあした　C5-222p）

社会的存在

……社会的存在というものは、すべて建前と本音とをあわせてもっている。（働く母、未婚の母差別裁判に抗議する会　73/6『現代の眼』）

自由

「わたしのまえにだれも立つな」といいたいのだ。（『いづみの残酷メルヘン』 157p）

やりたいことをやればいい、とわたしはいった。走ったあとでかんがえたって、かまわないのだから。（オノ・ヨーコとキャロル C6-180p）

この世界とおなじように、自分の心が動かなくなってくるのがわかった。以前からそうだった。昼間でも。感情がまったく止まってしまうときがあった。そんなときは、なにも感じない。ひと殺しでもなんでもできる、という気がした。年に一度くらいそれがあった。ふたたび感情がうごきはじめると、自分の冷酷さにゾッとするのだが……しだいにしなくなり……夢のなかではまったくその状態で、わたしは自由を感じた。（ユー・メイ・ドリーム C4-263p）

結婚してない男の自由を、わたしは信じない。結婚してないから、自由であるといういい方は、何も持たないから失うものもない、というのと同じなのだ。結婚していても、責任のがれではなく自らすべてをひきうけていく自由を、人は持てないのだろうか。だが、本当はみんな「自由」なんかには、飽き飽きしているのだ。（私の同棲生活批判　73/3『婦人公論』）

自由とか主体性とかいうものは、なまやさしいものではないのだ。（なんたるシリアス路線　73/9『愛するあなた』）

もっとも現代ふうな職業についているのに根底の発想は紋切型、という人間はかなり多い。月よりの使者のヴァリエイションみたいなギンギラギンの服を着て、髪を緑に染め、額にスパンコールをはりつけているからといって、自由なものの考え方ができるとは限らないのだ。（恋愛嘘ごっこ　73/9『愛するあなた』）

主体性

男もそうであるけれど、女が主体性を確保するにはエロティックでなければいけない、というのがわたしの持論である。知的という条件すら、エロティックになるためのひとつの要素でしかない。たとえば、頭のよさは顔を美しく見せるためのひとつの手段でしかない。人間は生まれながらに差別されている。そしてもちろん、その能力によって差別されるべきなのだ。そんなことはない、などといっても、これは現実なのだから、仕方がない。(なんたるシリアス路線　73/9『愛するあなた』)

趣味

趣味ってのは、役にたたない理屈、なんです。(対談　亀和田武　C8-119p)

純粋

——純粋でないものはことごとく私を憂鬱にさせる。自分に忠実ならば、エゴまる出しでもふしだらでも、少しもかまわない、と思っている。（犯罪者的想像力の男　C7-245p）

衝動

〈彼女〉は、熱につきうごかされて。母親が寝しずまったすきを見はからって。自分の部屋の窓から逃げる。おふろにもはいったし、髪も二回あらって。よくブラッシングした。過激なラメのミニスカートは、友達のうちへいってそこのミシンで、自分でぬった。つけまつげは二枚。うえとしたに。やたらに青白くぬった顔で。なぜそうしたいのかわからないけど、夜の底を走っていく。

十八歳か、十六歳か、十七歳。

性的には、非常に未成熟で。ただ、夢だけをみていたい。頭は熱く、からだはひえている。音がなんであるかなんて、分析はできない。あまりにつよく感じすぎて。脳があわだってしまって。

ヨコスカで本牧で。そして、かなしげに原宿で。ブラインド・バードになってしまって。ただ、つきすすむ。（カラッポがいっぱいの世界　C4-300p）

「あのひとは衝動的だから、なにをやるかわからない」とは、ひとがよく吐くセリフだ。衝動ほど、たやすく予測しうるものはないのに。それは、意識のふかいところにかかわってくるからだ。情念ということばはつかわれすぎたが、情念をもって突発的に行為することが衝動ならば、これほど理解しやすいものはない。（衝動を軽蔑するカボチャ頭　75/6『婦人公論』）

冗談

冗談みたいにじゃなく、冗談そのもので生きたいけれど。（眠らぬ秋の夜の幻想曲　73/10/6『女性自身』）

情熱

情熱がないのではなくて、あるからこそこわがるのだ。自分がそれに向かって、急激にすべりだしていくのがわかる。自分が自分でなくなってしまうような気がする。情熱に支配されるのではないか、という不安がある。だからセーブする。（疑似情熱ゲーム　C5-62p）

――人間、洗練されると情熱なんていうやぼったいものは抱かなくなる。（インタビュー　C8-205p）

処女

処女のいらだちは、一度も他人によって認められたことのない肉体を持つ、ということである。誰も、彼女が生きていて、愛されていることを、教えてはくれないからだ。（幻の影を慕いて　73/9『愛するあなた』）

男が女を犯す、ということばがある。犯すというと、すぐにヴァージンをおもいうかべるバカがいる。たいへんロマンティックですばらしいのだが、じつはあなた（男）のほうが試みられ、観察されているのをご存知ないのだろうか。これまでにくりかえし妄想してきたことの事実を、彼女たちはためしてやろうとおもっているのだ。処女はひどくサディスティックで冷静な気分でいる。好奇心でいっぱいの彼女たちに、あなたは犯されていたのだ。その観察力によって。もちろん暴力によって無理やりなされる性交は、例外であるけれど。（メロドラマ？　もちろん好きよ　C7-49p）

深刻

深刻なものとかきまじめさに耐えられる、あるいはそういうものが好きな人間って、神経が丈夫なんだと思うよ。わたしは耐えられない。（しらけたッ！　対談　嵐山光三郎　73/9『現代の眼』）

シリアス路線には飽き飽き。行きちがいととりかえしのつかない失敗と退屈の人生だったら、あとは笑うほかないじゃない？

深刻ぶっている人間には、本物の不幸なんてない。修羅場《しゅらば》の体験がない。（眠らぬ秋の夜の幻想曲　73/10/6『女性自身』）

信じる

――信じるとか信じないとかいうことばのイミは許す許さないとおなじように、非常にわかりにくい。ひとがひとを信じる、ということはどういうことだろう。ある現象について善悪の判断ができないのと同様に、信じるという行為も不可能であるようにおもわれる。（だれもが変態になって

いる　C5-151p）

相手を信じきるという行為は、大変な偽善だと思い込んでいる。信じられる方は、全面的に頼られるのと同じだから、疲れるに決まっている。（冗談コロコロ、シラミがピョンピョン　73/9『愛するあなた』）

人生

速度が問題なのだ。人生の絶対量は、はじめから決まっているという気がする。細く長くか太く短くか、いずれにしても使いきってしまえば死ぬよりほかにない。どのくらいのはやさで生きるか？（いつだってティータイム　C5-7p）

生きてみなければわからないことがある。わかってしまったあとでは、もうおそいのだ。だからといって――だからこそ人生はすばらしい、というほどの元気もない。（ハートに火をつけて　C1-276p）

人生には小説や映画のようなカッコいいラスト・シーンはない。きょうはきのうのつづき。あしたはきょうのつづき。（幻想の内灘　C5-201p）

人生ってすばらしいのだ。あたしはそう思いこむことに決めた。退屈なんてあるわけがない。退屈は罪だ。

たとえば空港のトイレに胸クソ悪いババアがいて、彼女はそこをそうじするわけでもなく空港の従業員でもないのに、ただそこで番人をして寄生虫として生きていくことが黙認されていたとする。

なぜチップを出さなきゃならないのかわからないあたしは、それでも一〇セントくらい出したのだが、「少なすぎる」といわれた。こうなったら、そのババアとの追っかけっこで、もうオシッコしちゃったんだから、こっちのもんよ。

ベイルート空港のジプシーみたいなその婆さんは、あたしを追いかけながら、その年になっ

てようやく人生の絶望をつくづく感じたと思うのだ。（いづみの三文旅行記　C6-154p）

他人が経験し、自分がふれることもできなかった人生に、やけつくような痛みとあこがれを感じる。世界に四十五億の人間がいるとしたら、その四十五億人全部になりたい。（乾いたヴァイオレンスの街　C5-30p）

——男と女の愛と呼ばれるものだけが、人生のすべてではないのだ。（自らの中で完結する行為　C7-259p）

——人生をＨＯＷ　ＴＯでしか考えられないふつうの人には美しさを感じない。ふつうはダメです。それは日常であり俗であり実利なので。（手紙　C8-258p）

兇　スター

——わたしが有名人やスターといわれる人々に興味をもつのはそこに、虚飾の世界にしか生きられない人間の凄絶さを感じるからだ。（踊り狂いて死にゆかん　C6-174p）

女も男も、じつはやや小柄なのだが、大きくみえるというのが、理想じゃないのかね。スター性って、そういうもんでしょ。（色情狂になってもいいのは美人だけ　C6-229p）

——わたしはミーハーが低俗だとは思わないし、彼女たちには一種動物的な未来予知本能みたいなものがある。スターというものは、ミーハーがついてこなければ、その生命はおしまいだ。いくらくろうと筋にひいきにされても。そして知識人と自認している人びとは、つねにグルーピーたちの後からついていくものだ。（うわさのあの子　C7-275p）

性

性の荒野は、純粋な皮膜感覚を頂点として、無限にひろがるくらやみのようなものだ。わたしたちの生は、そこに突如ひらめき、また消えてしまう、けいれん的な光である。（斎藤耕一における男と女　C7-244p）

——わたしは男でも女でもないし、性なんかいらないし、ひとりで遠くへいきたいのだ。（ユー・メイ・ドリーム　C4-259p）

性とはそれを論ずることではなく、やることである。論議は、つくした。いまではフロイトはかなり広く知られている。そのまちがいまでもが。だが、とがった物が男性器を表すと知っていて何になろう。（きれいなお嬢ちゃんという名のホモの中年男を　C7-265p）

もっとも性行為そのものにすら、何の感激もなくなったら（そして人はすぐそうなる）もうおしまいだ。いまさら思春期にもどれるわけでもない。たいていのものは慣れてしまえば、あとは全部死ぬまでのひまつぶしだ。性など、究極的な愛に比べればたいした問題ではない。（きれいなお嬢ちゃんという名のホモの中年男を　C7-266p）

——気持ちのよさは、形態よりも、むしろ質感ではないか、という気がする。皮膚はすべすべとなめらかで、パウダーっぽいのが理想なんだね。（変質者になりそう　C7-219p）

つまり精神病というか、心のゆがみというのは性的なものに起因するというんじゃなくて、性的なものに一番よく現われる。現実に人を殺したりできないから、許されることといえばセックスすることじゃない。セックスは破壊的行為でしょう。（インタビュー　C8-215p）

禁止されているから面白いんだという心理があるじゃない。性はジトジトしていたほうが面白いとか、そういうのはわからない、まず。そういうのはべつに何でもいいじゃないの。何でもやれますという感じ。禁止されているから面白いのかね。（しらけたッ！　対談　嵐山光三郎　73/9『現代の眼』）

あるいは、その肉体を、他人の手によって発《あば》かれつづけなければ、生きていけない者たちがいる。彼らは他人とより深く関わるために、性を媒介とする。（幻の影を慕いて　73/9『愛するあなた』）

政治

政治はこわいものなのだ。やつらは、じつに抜けめない。（モデルガンを守る会　74/12『現代の眼』）

性質

ルックスがわるいとか、才能がないとかいうひとは、ほんとに性質がわるい。（手紙　C8-259）

成熟

——成熟するというのは、彼の内部での価値感がかたまってしまうことだ。人格の変化がみられなくなる。しかし、四十歳になっても不安定でゆれうごいているような人物は、こっけいでありみじめでもある。（ディーン、あなたといっしょなら　C7-108p）

精神と肉体

……肉体に対して精神を持ち出すのは、いかにも安易すぎる。肉体と精神は、決して対立するものではないからである。（幻の影を慕いて　73/9『愛するあなた』）

……肉体至上主義は、スノビズムの裏返しでしかない。（幻の影を慕いて　73/9『愛するあなた』）

肉体的に非常に気に入った相手と、精神の双生児みたいな相手と、どちらを選ぶかというのは比べられる問題ではありません。（冗談コロコロ、シラミがピョンピョン　73/9『愛するあなた』）

そうすると、若い人間の情熱というのは、自分の幻のような肉体にすごくよりかかって、顔が美しいとか、マツゲが長いとか、色気があるとか、そういうことに全面的によりかかっているわけじゃない。肉体的なものに、全面的によりかかって、ただやりまくるというのもいいけど、何もそこに精神性を持ち出す必要はないわけよ。やりたけりゃ、やりゃあいいんだし……。

（インタビュー　C8-207p）

世界観

「……はじめて意識をもったとき、自分におしつけられているこの世界のひどさに、はっきりと絶望した。わたし用につくられた世界は、悪夢に似ていた。祈ってもムダなんだ、とわかった。その日からいままで、どうしようもなくつよい諦観はつづいている」（ハートに火をつけて　C1-68p）

「たぶん――希望らしきものがなんにもなくても、ひとは生きていかなきゃなんない、ってことを十代のうちに知ってしまったんだと思う。絶対の真理なんか、この世にない、ってことを」（ハートに火をつけて　C1-275p）

みずからの敵がなんであるかを把握するには、世界を認識することからはじめなければならない。（乾いたヴァイオレンスの街　C5-20p）

夜明けはゾッとする。しらしらした光は、あたしのみにくさを、その夢の部分までを、あばきださずにおかない。たいてい宿酔《ふつかよい》だ。そしてあたしは、もう、上っ調子なことをしゃべりちらすこともできないほど、疲れきっているのだ。

世界はあたしの前にやさしく頼《たよ》りなく横たわっている。すべての理屈はすでに考えつくされ、こねくりまわされ、あたしのことばの中でどうしたらいいかわからなくなる。

夜のうちだったら、それを適当にパッケージすることができる。ある形につつみこむことによって、中身がお化けであろうと、あたしは安心するのだ。パッケージこそが、あたしの、世界に対するただひとつの態度だ。そして、夜明けにはそれができない。（あまいお話　C6-32p）

わたしにとっての世の中は、それこそ観念の一覧表である。これはひどい近眼だということとも関係があるのかもしれない。微細に現実を直視して、描写するということができない。（花咲く丘に涙して　C6-45p）

——みんな、それぞれが、自分は世界の中心じゃない、ということがわかってない。私の問題など他人にとってはどうでもいいことなのだ、ということに気がつかないので、ほとんど全員がモノクルオシイ見せ物になっている。ごく少数の、芯から冷酷な人間だけが、それを納得している。（よろしく哀愁　C6-266p）

——わたしは受動的であり、いつも漠然とした何かを待っていた。何かが起きることを、ぼんやりと期待していた。それがなんであるのかは、長いあいだわからなかった。おそらく、わたしは自分自身を待っていたのだとおもう。いいかえれば、自分にとっての現実、というものを。世界はいつだって、あいまいに無意味に、ベローンとひろがっていた。（女優で〃いなかっぽい〃というのは大変なことだ　C7-30p）

無限の暗黒に一瞬ひらめくのが自分の生で、それが開かれて世界は存在しはじめる。ふたたび閉じられたとき、もう世界なんてなくなってしまうんだ、と思った。（……みたいなの　73/9『愛するあなた』）

セックス

とにかく、ガタガタいわずにやればいい。気持ちがいいかわるいか、なんて、考える必要はない。

「いいに決まってる」

とおもいこむことだ。それは、感情ではなく、気分の問題でしかない。気分なんて、おもいこみでどうにでもなる。好きな相手とやれ、やらないよりいいに決まっている。(「気持ちがいいかわるいか」考える必要はないのだ　C6-58p)

やっぱり死ぬほど好きな相手とはやれた分だけいいと思うわ。(しらけたッ！　対談　嵐山光三郎　73/9『現代の眼』)

寝たい男と寝たいときに寝て、どこが悪い、というのだ。それができないなら、半分死んだも同然だ。（働く母、未婚の母差別裁判に抗議する会　73/6『現代の眼』）

——好きだから寝る、のではない。寝てから好きになる、のだ。（『タッチ』　56p）

——セックスがなくなったら、精神的なことがのこる、ってのはマチガイだと思うけどね——。精神的なものも、いっしょになくなっちゃうんじゃない？　どっちでもいいけどさ——。（手紙C8-267p）

——セックスというものは（真代みたいな潔癖症にとっては）ふだん気持ちのわるいものが、快感になる。そのことだ。他人の唾液とか汗とか粘液とかが。他人のからだは、きたない。自分のからだだって、きたない。形のよしあしではなくて、皮膚は生きて呼吸して排泄するから。きたながりながら抱きあうのは、マゾだろうか。（『タッチ』　121p）

――肉体の記憶というものは、一度だろうが何百回だろうが、去ってしまえば同じものだ、とわたしは思う。（自らの中で完結する行為　C7-263p）

絶望

「泣けるぐらいなら、たいしてつらくもないのよ」（『タッチ』260p）

「それはよかった。明るいのが、いちばんですよ。そして、絶望しきっているのが」（『タッチ』287p）

何時間も飲みつづけ、飲むことがしだいに苦痛になっていきながらも飲みつづけ、明け方、頭の中で花火がうちあがっているような状態から仕事をはじめる。それは奇妙な明るさにみちた絶望感で、自虐性の強さを考えると、それを楽しんでいるのではないかと思われる。（幻の影を慕いて　73/9『愛するあなた』）

センス

センスがあるとかないとか、ひとは簡単にいうけれど、じつはたいへんなことなのではあるまいか。（なんと、恋のサイケデリック！　C3-12p）

喪失感

時間にたいする飢餓感覚などには、目をつぶったほうがいいのだろう。ずっとまえ、たいしてヒットしなかったが「もう一度人生を」という歌があった。しかし、ひとはいくらもう一回やりなおしても、結局おなじことをやるのではないかとおもう。遊園地や公園をさまよい歩いても、喪失したものならばみつかるかもしれないが、はじめからないもの、あらかじめうしなわれたものは、みつかりっこないのだ。（公園はストリート　C5-127p）

――私はいまの日本で、敏感な人間がいかに深い喪失感の中にあるかを悟った。(喪失感の中で　C6-99p)

存在

――私の中には何ひとつはっきりしたものはないのだ。何ひとつ価値をもったものはなく、信条も目的もない。すべてがあいまいで、ただ存在しているだけのものでしかない。(一日は長い、だけどC6-97p)

……あなたはどのように存在しているのか。あなたの肉体がそこにあるということを、何によって証明できるか。

それは誰かによって見られる、ということでしかない。他人の視線や手によって確認されることが、すなわち存在することだ。より確実に存在するためには、より多くの他人に見つめられ、知られなければならない。

知られたいという欲望は、ほとんど愛されたい願いと同じものだ。あなたの肉体が愛されること、あるいは憎まれることが、あなたの存在を意味づける。（幻の影を慕いて　73/9『愛するあなた』）

退屈

——退屈してもしかたがないから、退屈なんてしない。そんなことをいえば、生きていることそれ自体が退屈になってくる。（ソフト・クリームほどの自由　C5-40p）

他人

他人といっしょにいることは努力を要することだが、一人遊びにくらべればまだよい状態なのではないか、と思考する。ほんとうは深刻であっても気楽そうにふるまう。楽しくもないのに楽しそうにする。ということは案外大きな機能をはたしているのではないかと思える。そうだ、わたしたちはなんの目的もなく生きているのだから。(徹底的に自分にこだわって、考えのふくらみを追求　一人遊び　C6-94p)

——人間は、他人を利用して、他人を愛して、共同幻想結ばなきゃ、この社会に生きてるイミない。(手紙　C8-251p)

このごろ、他人を一個の塊《アン・ブロック》として感じることが多くなった。マルグリット・デュラスの絶望にちかいのかな、と思う。表現のもととしての存在が表現することを、ふだんわたしたちはくみとったり意味を推しはかったりするけど、それは全部虚構だから。分析・推理は、たいして意味のあることではないから。

一個の塊としての他人は、なまあたたかく、おそろしい。自分が目も見えず耳も聞こえなくなったみたいな気がする。そういう感じ方は、官能的なんだと思う。彼や彼女のいいたいこと

（意識的にせよ、無意識的にせよ）は問題ではなくなって、なにものかに押しつぶされてもがいている生き物、としか感じなくなる。それは一種の圧迫感だ。他人がひとつの圧迫感でしかない世界は、意味のないおそろしい世界だと思う。（手紙　C8-267p）

けっしてバカにしてはいない。他人のかんがえかた、生きかた、すなわちおもいこみを否定するのはいやだ。なんにしろ、おしつけがましくされるのも、するのもきらいなのだから。わたしは、なにかについて頭からバカにする、ということはしないつもりでいる。それよりも、理解したいものだ。なるべくなら。というより、けんめいになって。（『いづみの残酷メルヘン』　206p）

魂

「あんたの魂は、あたしとちがう材料でできてるんだね」

母がいった。

「うん、たぶん、……とても下等な材料だとおもうよ」
わたしは、やさしく答えた。（ユー・メイ・ドリーム　C4-265p）

罪

罪の意識というものは、とても便利だ。これは、どんなことにでも適用できる。しかもどこかしら、崇高な感じがしないでもない。自己を卑下することは、他人を非難するほどの害はない、とおもわれているからだ。

これは運命論者であるのと、おなじことだ。愛のゆくえになやむ女の子のまえで、手のひらのしわをああだこうだ、と理屈づけるのとかわりはない。

われわれには罪がある、とおもう。するとすべて納得がいくのだ。だから、こんなにつらいあるいはおもしろくもない人生をやっていかなければならないのだ。（だれもが変態になっている　C5-155p）

——人間の堕落は、罪悪感から、はじまるのね。あんなもん、持っちゃだめよ。（対談　亀和田武　C8-129p）

諦観

「もう子供時代は終わった」と思ったその夜から、あまり泣かなくなった。ひとつの諦観がわたしの主なる属性となった。（踊り狂いて死にゆかん　C6-166p）

わたしは自分が、ドアも窓もあけっぱなしで、その中を風が通りすぎて何もかもさらってていってしまった家、のような女だと思っている。何ひとつ自分の中で体系化できないし、永続させることができない。何をいわれてもまともに答えられない。たいていのことはどうでもいい。（踊り狂いて死にゆかん　C6-166p）

同化

他人が所有しているある観念を、まるごと吸収するのはむずかしい。それが形成されるまでの雑多な道すじを、もういちど疑似体験しなければならない。そんなふうにおもいはじめるといつかみた青い空ではないが、彼がながめた空の色とかその恋人がいつもつかっているシャンプーのにおいまでが、大切なことになってくる。

それはつまり、ある人間が生きた十何年なり二十何年なりを、一週間とか十日とかで走りぬけようとすることだ。わたしは親しい他人から「やさしい」といわれることがある。やさしいのではなく、他人の身になってみるのが好きなのだ。それは同化したいというはげしい欲求と自分が経験しなかった人生にたいする嫉妬でしかない。（乾いたヴァイオレンスの街　C5-32p）

宇宙とバイオリズムがあわないのだ、と思った。私は砂漠の中のゴミなのだろうか。まわりのたくさんの砂粒に同化できないのだ。砂の圧力で動いていく。その中におさまり安定し、周

囲と同じように流されていくことはできない。（一日は長い、だけど　C6-96p）

同性愛

——ホモは気取って夢中になって、それらしき文化を生み出すけどさ、レズはただおたがいのからだだけが果てしなくあるって感じだもの。精神性っていう装飾がない。（わたしの性的自叙伝　C6-20p）

世間から異常とみなされる同性愛を、わたしはそれほど異常だとは思わない。ただ、彼らが小児的でめめしいことは事実だ。「育ってない」男がじつに多い。自分に誠実に実人生の責任をひきうけようとする姿勢の男たちは、あまりにも少ない。たいていの男は子供っぽく、いろいろなものから逃げようとしている。（世の中、右も左も、オカマだらけじゃござんせんか　C6-40p）

すばらしい男が現われない限り（そして、たぶん現われないと思う。それはほとんど予感だ）

私はたぶん、三年以内にレズビアンになる。（わたしの性的自叙伝　C6-24p）

いっしょに寝るには女の子より男の子の方がいい。それは当然なのだが、世の中にはぐっとくるイイ女というのも存在していて、たまにそんなのに出会うと困惑する。同性である自分のアラが目立ちすぎるし、あまりに深い恋心のために手も出ない。ただただ、こちらが消滅したい思いにかられる。（恋愛嘘ごっこ　73/9『愛するあなた』）

――あの子とわたしのあいだには、性的行為はなにもなかった。だが、彼女がくれた手紙は、すてきなものだった。

「いづみさんのうちには、子供のころ、ピアノがありましたか？　あんたはピアノをひきますか？　あたしは、苦力《クーリー》の娘なので、ピアノをひきません……」

とてもいい子だった、とおもう。（苦力《クーリー》の娘　C6-248p）

道徳

「道徳なんて、はじめっからないのよ。よくかんがえてみたら。十代のころはすごくある、と思いこんでたんだけど。それは、道徳をおしつけてくる他人をこわがってただけなの。それに気がついたら、よけいおそろしくなった。わたし、年に二回か三回、感情というものがまったくなくなるときがあるわけ。ひどいときには、二日も三日もつづく。そーゆーときは、外へ出ないようにしてるわ。平気でひとを殺せそうな気がして。人形をこわすみたいに、無感動に」

（ハートに火をつけて　C1-63p）

内省

小さい声で何かいう、ってのはキモチヨイ、と思う。それらは別に、声に出さなくてもいいことだからね。いうかいわないかは好き好き、というところで。（手紙　C8-272p）

外界の刺激を受けつけず、外界に興味をもたず、ただひたすら夢を増殖させることで生きてきた。かわいげのない子供だった。いつも暗い廊下のすみで、ひっそりと本を読んでいた。（ばら色の人生？ 73/1『いんなあとりっぷ』）

泣く

なにもそんなに深刻ぶる必要はない。人は必要によって嘆き悲しんだり悩んだりすべきだ！泣くときは他人に見つからないところで泣く。ただし、嘘泣きはその限りではない。（こんなにあなたを愛しているのに 73/9『愛するあなた』）

慣れる

ひとはすぐに狎れてしまう。だが、霧子は狎れることができなかった。そして、わたしも彼女とおなじように、狎れるということができない。（幻想の内灘　C5-198p）

「だってわたし、環境になれるってことができないたちですもの」（『いづみの残酷メルヘン』　348p）

慣れはエロティシズムの敵です。彼はあなたを何と呼ぶだろう。「おまえ」とか「ねえちゃん」とかいう相手だったら、もちろんすぐにバイバイよ。（冗談コロコロ、シラミがピョンピョン　73/9『愛するあなた』）

ニセモノ

事実よりもうわさの方が真実をついている。同じように、本物よりもニセモノにひかれる。自然より人工がいい。クソマジメより悪ふざけが好き。マガイモノは、パロディーとしての文明批評だ。（恋愛嘘ごっこ　73/9『愛するあなた』）

日常

せまりくる死に背中をむけるわけではないが、毎朝紅茶をのむ習慣があれば、その日の朝も、やはり紅茶をのまなければならない。日常とは、つまらないことのつみかさねである。だが、そのつまらないことのひとつひとつが、どのくらい大事かということに、たいていの人間は気がついていないだろう。日常感覚のＳＦをかきたい、とわたしがいつもおもっているのは、そういう理由からだ。（「日常」をかんがえさせるＳＦ　C7-89p）

——おそらく歴史に名前なんかのこらないとわかっていても、やはり皿は洗わなければならず、日々をくりかえしていかなければならない。

人間のほんとうの強さは、そういう部分からきているのではあるまいか、とわたしはおもっている。（「日常」をかんがえさせるＳＦ　C7-90p）

人生において力をふるうのは、「異常なできごと」ではない。日常の習慣性が、すべてをおおいつくしてしまう。（自らの中で完結する行為　C7-258p）

そうした日常の小さな事件が、情熱をむしばんでいくのだ。情熱は不安によってあおりたてられるが、おだやかな日常にのみつくされる。（斎藤耕一における男と女　C7-253p）

日常というのはすごいスキャンダラスなことだと思いませんか、つまりある事件があるからスキャンダルじゃないわけですよ。生きていること自体すごいスキャンダラスなことだと思うわ。（しらけたッ！　対談　嵐山光三郎　73/9『現代の眼』）

エロティックなものを破壊するのは、いつでも「日常」なのだ。こんな時代に、人生における「劇的なるもの」を期待しても、無理というものである。（私の同棲生活批判　73/3『婦人公論』）

人間関係

——わたしはきらいなのだ。男のせわをやくのが。大きらいだ、といってもいい。ベタベタした関係が気持ちわるい。家族だろうが友人だろうが、さっぱりした冷淡なつながりを好む。（ハートに火をつけて　C1-209p）

——ふれあいぐらいで満足できるほど、あなたがたの心は飢えていないのか、と問いなおしてみたくなる。男と女、ひととひとのかかわりは、そんなものでしかないのか。やさしさで、すべてにカタがつくとおもったら、多くのまちがいを犯すことになる。（ソフト・クリームほどの自由　C5-58p）

何によらず、湿っぽく暑っ苦しい人間はいやなものだ。（こんなにあなたを愛しているのに　73/9『愛するあなた』）

理想的な友人関係は、つかずはなれず、だと思っている。あまりに深くはいりこむと、相手の全体が見えない。平衡感覚を失う。やさしくてつめたいのがいちばんで、その反対に神経が粗雑であたたかいというのは耐えられない。もっとも、もてすぎる男というものは、その場かぎりのやさしさと内心のつめたさが、極端すぎるけれど。

エゴが充全に発達していない人間は困りものだ。自分が何をしているか、わかっていないから。日常生活に何の支障もなければいいが、いったんコトが起こると、扱いがめんどうである。確固たるエゴがないから、すべてを他人のせいにする。依頼心が強すぎる。どんな不幸が起こっても、他人のせいにできるうちは安楽である。本人は苦しんでいるつもりなのかもしれないが。（こんなにあなたを愛しているのに　73/9『愛するあなた』）

とにかく、人間関係はメカニックにいきたい。それが本当のやさしさかもしれない。（こんなにあなたを愛しているのに　73/9『愛するあなた』）

人間ぎらい

「人間観察が趣味っていうひとは、わりと人間きらいなのね。だから、すぐ欠点をさがしだす」

（対談　ビートたけし　C8-19p）

年齢

――結局、年齢ってないんだよ。似たような魂があれば、何十歳ちがってようと、同レベルで話せるんだ。（手紙　C8-238p）

俳優

俳優というものは、ただそこにいるだけで芝居をしているものなのだ。たとえばおかしいのは、彼の存在そのものである。おもしろいセリフをいったり、おもしろい動作をするからおもしろいわけではない。そういう意味では、舞台装置やストーリーは、彼が存在するための背景をあたえているにすぎない。（これぞ男の生きる道　74/3『太陽』）

バカ

――知っててバカをやるのは、わたしも好きだ。知らないでバカをやるのは――単なる、もとからのバカではないの？（「哀愁の袋小路」なのよ。　C6-303p）

わたしが書くものの主調音のひとつは、決まっている。

「バカは、どこまでいっても（いつまでたっても）バカでしかない」

どーして、それが、わかんないのかね？

いまだに大きな顔して多数棲息している『むかしのインテリ』は、かんがえる。教養小説ふうに。「人間は、試練によって成長していくものだ」と。

そんなことはない。ほとんどない。

どんな事態になっても世界観が変わらないどころか、ますますそれに固執するタイプが圧倒的なのだ。そのほうが、安易だから。（「哀愁の袋小路」なのよ。C6-304p）

――きらいな人物を攻撃したりバカにするのは、おもしろいしさ。でも、基本的には、どうでもいいんだよ。どうでもいいから、おもしろがれるんであってさ。（ユー・メイ・ドリーム　C4-260p）

バカのどこがバカかといえば「自分は世界の中心じゃない」「私の問題など他人にとってはどうでもいいことなのだ」ということが、わかっていないところ。誇大妄想ばかり。（手紙　C8-243p）

……バカが精神的になると人生論はじめるから、きらい。（手紙　C8-256p）

犯罪者

社会に適応できる人間には虚無のにおいを感じる。だから成功者よりも、永山則夫のような犯罪者により魅きつけられるのだ。（犯罪者的想像力の男　C7-245p）

ある犯罪者というのは色気というのがあるじゃない。（インタビュー　C8-202p）

美意識

「美意識は世界を整理するひとつの方法だから。それは、ゆがんでても、病気でもいいわけよ。全体がひとつの体系として、キチンとしていれば」（対談　亀和田武　C8-122p）

表現

言葉を持たない子は、他人との接触において、ある不安を持っているから、そのエキセントリックなところがいい。当然、ほかの部分で表現しなきゃいけないわけで、私なんかその「表現」がどこから出てくるのか見るのが楽しい。（しらけたッ！　対談　嵐山光三郎　73/9『現代の眼』）

表面

表面には、厚さがない。

だから、非常に危険で、ドキドキする。緊張してしまう。センス・オブ・プロポーションの極みなのだ。（ホモにも異常者はいる！　C6-213p）

さらに表面感覚をもっていれば、他人に会うとき非常に楽しい。二重三重に意識を張りめぐらせて対応する。相手が「なあんだ、こいつの底辺て、このぐらいか」とおもっているのを、さらに底からながめる。そうやって表面に集中するのは、なかなかむずかしい。分裂質の人間は、すぐに意識が外に突出してしまうからで、そうなると自分をふくめた人間を現象としか見られなくなる。（ホモにも異常者はいる！　C6-213p）

……胸くそわるくなるくらいそらぞらしいことばって大好き。（対談　田中小実昌　C8-44p）

不安

あたしもどこかへ行かなければならない。灰色の列車に乗った。誰もいない車内は、さわさわするような不安にみちていた。あたしは立ったりすわったり、小さく声を出したりした。誰も乗ってこない。列車は闇に溶けこむ。（夜の終わりに　C2-13p）

——結局、不安なんて何をしてもなくなんないのよ（東京巡礼歌　44p『いづみの残酷メルヘン』）

夫婦

亭主は今夜もかえりがおそい。アルコールづけになっているにちがいない。はやく寝てしまってもいいのだけれど、また起きださなければならないのがつらい。気もちよくねむっているところを「水」とか「お茶づけ」とか呼ばれる。まるで、それがわたしの名前みたいに。で、いやいやながらも、ふとんからはいだして台所へいく。

呼ばれるのは、水やお茶づけである。だがうちの亭主は魔術師ではないから、水をいれたコップがとんできたり、サケ茶づけがふうふういいながらあるいてきたりはしないのだ。あたりまえだけど。（魔女見習い　C4-53p）

わたしにスコットのような亭主がいれば、ふたりのあいだの闘いに全力をあげるだろう。抵

抗してヒステリーをおこす。彼女のように、気がくるうかもしれない。（うしなってきたもの……　C5-143p）

とにかく「夫婦は他人」ということを、すなおに実感することは、こんなにもおそろしいことなのだ。だから、世のご婦人がたが「彼とあたしは一心同体」とおもいたがるのも無理はない。だって、そうでなければ……ふりかえってごらんなさい。気味のわるい奇妙な生物がそこにすわって、無意味なことをしている！（異性は異星人　C5-235p）

夫婦とは、おもしろいものだ、とおもっている。

結婚がおもしろいのは、愛情だけでは持続しないところである。生活とはくりかえしでしかないのだが、それに耐えるには相当のエネルギーを要する。現実が気にくわないままおとなになったりしても、政治がとか世のなかがと、ゆううつになってばかりもいられないのである。日常における事件をどのようにのりこえていくかで、夫婦の形がきまる。（どぎつい男が好き！　C6-65p）

でも夫婦間の愛情っていうのは、相手の汚いところを見て、なおかつ愛するというもので、それはやっぱり本物っていうか……情熱のない愛っていうのは本物だと思うんだけどね。ある部分的な情熱で愛し合うというのは、むしろ性欲っていうか、たまればヤリたくなるわけだし(笑)、それを素晴らしいとか崇高だとかいう必要は、全然ないんじゃないかと思う。(インタビュー C8-207p)

服装

服装というものは自分を異性に誇示するためにあるのだから、これはひどくセクシアルなものです。(冗談コロコロ、シラミがピョンピョン 73/9『愛するあなた』)

不幸

わたしは自ら不幸を招くような、そんなところがある。なにかが成功しかかると、それをぶっつぶす。他人に何かをいわれて、わかっているくせに否定する。要するに自分で自分のじゃまをしているのだ。（幻想の内灘　C5-200p）

私は、いまの時代に生きていて、幸せだとは全然思いません。なんだか最近、不幸感がつのってきたみたい。欲求不満とかそういうものではない（性的にも、金銭的、物質的にも）。70年代は相当つまんなかった（自分の青春時代にもかかわらず）。80年代はますますおもしろくない、という気がする。50年代、60年代のような現象は、このあとずっと起こらないでしょう。（手紙　C8-292p）

幸福について考えることこそ、不幸にちがいない。若い未婚の女にありがちなちょっとした不幸とは、その種のものだから、解決法も簡単なように思える。若い未婚の女でなくなればいいわけだ。オールド・ミスになるか結婚するかのどちらかで、たいていの場合はそれ以外に考えられない。この場合、同棲も結婚のうちにはいるだろう。そして時が過ぎれば女の子たちに特有の不幸な状態は消えてしまう。（花咲く丘に涙して　C6-42p）

わたしはつらいのだ、と訴えて、それが世間で認められる人間はまだいい方なのだ。認めてもらえない不幸というものが、たくさんある。（冗談コロコロ、シラミがピョンピョン　73/9『愛するあなた』）

負の方向から考えるからいけないのだ。何かを失ったのなら、はじめから手に入らなかったよりはまし、と考えたい。一度も恋愛らしきものを経験せずに年をとる、という人間がたまにいるらしいが、その人生に何もなかったということほど不幸な話はない。何のために生きているのだ？（こんなにあなたを愛しているのに　73/9『愛するあなた』）

不思議

あたりまえじゃないことはふしぎではないが、あたりまえなことはとてもふしぎなのだ。（きらいはきらい、好きは好き　不思議の国のアリス　73/12『太陽』）

プライド

……ボロボロになった自我が最後にしがみつくのは、プライドだけなのだ。わたしのプライドなんて、たいしたものじゃない。それになんの形にもならないし、実質的効果も持っていないではないか。しかしやはりわたしは、プライドなるものを最後のよりどころとしているのだ。そして奇妙なことに、それは客観性やバランス感覚とむすびついている。なぜだかわからないけれど。

自分が衝動的で気まぐれで自己憐憫にみちたいやなやつだ、と知っているせいかもしれない。なにをしても他人には、それが奇行にみえるのではないか、とびくついているせいかもしれない。

自分を客観視しよう。過去を美化すまい、とこのごろは特につよくおもう。自分には輝やかしい青春があった、とかんがえるほうが楽だろう。だが、それをやると、自分を見失う気がしてこわいのだ。（時と共に去りぬ　C7-124p）

不良

幻想のなかの不良少年を賞賛するのは、彼らが外部への敵意をはっきりしめし、それを行動にうつすからだ。不良行為はくだらないとしても、やけくその勇気がある。自己破壊ほど倒錯していない。（乾いたヴァイオレンスの街　C5-23p）

不倫

姦通や不倫の恋が本物だというひとがいる。わたしは、そうはおもわない。そういった情事がなぜ胸をしめつけ、わくわくさせるかといったら、それは単に舞台装置だけだ。情況にあやつられてる、とおもえばシラけてしまう。（男と暮らす法　恋がおわってから　C6-201p）

忘却

過去を美化するような作業は決してすまい、とわたしは、ふたたびつよくおもうのだ。べつに、前向きにだけ歩きたがるスカーレット・オハラの心境というわけではない。それよりも、時と共に去りぬは一種の罪であると漠然と感じるからだ。忘却してはいけない。決して。それがどれほどつらくても。でないと、もう歩けない……遠すぎて。（時と共に去りぬ　C7-126p）

マジメ

――わたしね、自分が生きていくことに対しては冗談すらマジメにやっていこうと思っているわけ。人の一瞬一瞬なんていうのは絶対取り返せないんだもの。後悔したり未練残したり、自分のしたことに関して、くだくだと、ああだこうだ、何だかんだというのはね……（対談　佐藤愛子 C8-178p）

魔法

さして必要もないのに美容院へ行きたくなる時って、自分に魔法をかけたい時みたいね。

魔術的思考って、未開人ばかりじゃなくて、いまの私たちにもとりついているみたいね。（手紙 C8-285p）

無感動

——他人が血をながす、というのはなんだか非常におそろしい。そのこと自体がおそろしいのではなく、他人が血をながしていても自分は無感動だろうと想像することがおそろしいのだ。
（ふしぎな風景　C5-254p）

自分が死ぬことは、すごくこわい、と他人に告げる。それは、自分の死に無感動ではないだろうか、とかんがえるのがおそろしいからだ。（ふしぎな風景　C5-255p）

無神経

――自分だっておなじように（というか、もっとひどく）無神経なのに、他人のデリカシーのなさを、当人を目のまえにしてあざわらうという男がいる。なすすべもなくそのシーンを見物しているこちらに、妙な目まぜをして「ね、こいつ、白痴だろ?」というような同意を求める。わたしなんかは、両腕をわきにくっつけて、しかとしてるのに、いっしょにおもしろがってる、と決めつける。ひとりで納得して得意の絶頂にいるのをみると、力なく「お元気でなにより」

というしかないじゃありませんか。（対談　楳図かずお　C8-61p）

やさしさ

――よわい人間は、やさしくなれない。（無神経は女の美徳　C7-179p）

「なんでそんなにやさしいの？　恋愛してない相手には、親切になれるわけ？」

「だれにだってそうよ。きらいな人間以外には」（ハートに火をつけて　C1-46p）

夢

結局はそうなのだ。カンタンに男をゆるしてしまう。いつだって。わたしの人生に、確かなものなんて、ひとつもないから。すべてが夢みたいだから。（ハートに火をつけて　C1-132p）

——夢をみているのだ。くそっ、夢だって、かまいやしない。わたしの夢は、わたしの現実なんだから。いつだって、夢のなかに生きているんだから。（『いづみの残酷メルヘン』284p）

この世にはどんなにはげしくねがっても、かなえられないことがあるのだ。ひとはあらかじめうしなわれたその夢をさがしもとめて、一生をおわるのだ。もしそれに執着をもつのなら、いまのうちに覚悟しておいたほうがいい。いま感じたことは、死ぬまでおぼえていよう。とおもった。（至上の愛　帝国劇場４月公演「静御前」74/6『太陽』）

三浦海岸の駅まえには、電話ボックスが三つならんでいた。長距離用に百円玉もいれることができる大型の黄色い電話だった。あるとき、そのボックスのとびらをあけ、そこに非日常の裂けめをみた。

電話にはダイヤルも文字盤もなかったのだ。

わたしは声にならない叫びをあげた。

それは自分の夢にいつもでてくるもののひとつだった。わたしはなんとかしてだれかに電話をかけようとする。だが、ダイヤルのまるい穴とその外側は空白で、数字がかいてないのだ。わたしは電話することができない。何年ものあいだ欠けていた、夫と自分とのコミュニケーションを象徴するような単純な夢なのだが、暗い部屋で目をあけてからもわたしを苦しめるたぐいの、いやな味をのこした。その夢が、突然白い昼間にあらわれたのだ。わたしは赤ん坊を抱いて、ボックスの内部の壁によりかかり、ついにすわりこんでしまった。

電話は故障していただけにすぎない。

だが、そのことは非常につよい衝撃となって、わたしを打った。この世界は、夢だからといって安心していられるような生やさしいものではなかったのだ。（ふしぎな風景　C5-248p）

いつの時代でも、象徴としての肉体は、あらゆる人間の夢を背負って、空を飛びつづけなければならない。

スーパーマンは、すべてのアメリカ人の夢のために、空を飛んだ。(幻の影を慕いて　73/9『愛するあなた』)

幼児願望

——あたしは子供でいい。その方が好きだ。暗い中にこうして抱かれているのは、とってもいい気持ちだ。あたしは子供になりたい。部屋のすみをはいまわったり、気に入らないことがあれば鼻にしわを寄せて見せたり、いたずらをしてぶたれたり、適当にあまやかされたり、そしていつまでもこうして抱かれたりしていたい。自分が弱く小さな存在であることに、安定感を覚える。もっと小さくなりたい。大きな強い腕に抱きかかえられて、幼児になりたい。(夜の終わりに　C2-10p)

抑圧

「何も抑圧を受けない人間というのは、まあ気楽だなと思う。何のこだわりも、しこりもない人間っていうのは、人を偏愛しないんじゃない」（インタビュー　C8-210p）

欲望

——支配欲や独占欲は幼稚かもしれないが、たしかに愛を求める人間のなまの感情にはちがいない。（透明な鏡　C8-333p）

とにかく欲望の少ない人間、やる気のない人間には、金を貸さない方がいいし、しょせんは人生の落伍者、ダメなやつである。わたしもそのダメなやつのひとりで、自分が何を欲しているのかよくわからない始末だ。（ばら色の人生？　73/1『いんなあとりっぷ』）

夜

——夜にはいつも救いがある。事物がはっきり見えなくなり、見たいものだけに光をあて、妄想のなかに沈んでいける。（いつだってティータイム C5-14p）

落下

——こわい……こわい。落ちる。まっすぐに落ちていく。大きく口を開いて待ちうける青く深い闇の中へ。ダストシュートに放りこまれた腕のない人形のように、壁にからだをぶつけながら落ちていく。ゆっくりと確実に沈んでいく。底知れぬ黒い沼へ。あたしは果てしなく落ちつづけて、暗い中で朽ちてしまう。とどまることなく。落ちつづける。（夜の終わりに C2-7p）

理屈

おかしなことに、たいていの人間が理屈なしでは行動できないのだ。ある重要なことにたいしては、理屈が追いつかないということを知らない。「愛する」とか「死ぬ」とかいうことにたいして合理的な説明をもとめるのは、その行為自体をかるくみている証拠だ。（乾いたヴァイオレンスの街C5-35p）

たいていの人間は、自分の行為に理由をみつけたがる。わたしもそのクチだから、後家のがんばりそのままに、「ひとはなんの理由も目的もなく生きて行動するのだ」とおもいこんでいる。理屈づけをきらうあまり、なるべく理由のない行為をしよう、という倒錯におちいる。もちろん、理由なんかなくてもかまわない。目的意識も。行為自体が理由であり目的であるはずなのだから。しかし、それ自体が理由であり目的である、というような単純明快な生き方をしているひとは少ない。「……のために」とか「……だから」というアップ・ビートのひとびとをみて

いると「理屈はあとだ、みんな死ね」と叫びたくなってくる。（だれもが変態になっている　C5-153p）

離人症

ところが、わたしは、過去も未来もない、いま、いまだけ、とゆー、じつにおそろしい経験をした。

いまがとんでくる。瞬間がとんでくる。いま、いま、いま、と。時間は不連続なギクシャクとしたものになる。さっきのいまは、ふつうなら過去になるはずだ。なのに、定着しないで、また、かなたにとび去っていく。だから、そのときのわたしには、さっきのいまは、論理的思考のなかにしかなかった。いちいち「さっきのいま、こーゆーことがあった。バスに乗った。料金払った」と頭でくりかえし、確認する。さもないと、記憶しない。絶えずその努力をしていても、他人の記憶という気がした。感覚と感情が、すっかり消えうせていたから。

風景は立体感をうしない、芝居の書き割りとなった。光も影も、一枚のベニア板にかいてあるだけ。すみれ色の不吉な空に、チーズの目と化した太陽がはりついている。ギラギラと無慈悲に、そこを動かない。ひとびとは、目的もなく、地上をはいずりまわっている。

しかし、恐怖感はない。苦しくもない。感情は死んでいた。苦しみという感情のない、このおそろしい苦しみ。まだこわかったころはよかったのだ。絶望ってこんな状態をいうのだろうか、と脳がかんがえている。

わたしは、おそろしい速さでうつりゆく、いまという時に、ピンで止められた虫だった。世界は意味をうしなった。人格と同時に世界も崩壊したのだ。

これを、分裂症症候群のひとつである「離人症」という。

刹那《せつな》とか瞬間が、これほど苦痛にみちたものであることを、それまでのわたしは知らなかった。そううつ質やてんかん質の人間には、とうてい想像さえできないだろう。(鈴木いづみの甦える勤労感謝感激5　ＳＦをさがして　80/11『ウイークエンドスーパー』)

リズム感

どうしてわたしは、こんなふうにいいかげんなことばが吐けるんだろう。すらすらと口からでてしまうのだ。リズム感さえよければ。意味は二の次だ。テンポとリズムが問題なのだ。あとは全部、口からでまかせ気分しだい。（ハートに火をつけて　C1-24p）

流行

ただ、流行とか、ひとにどのくらいウケるか（それも、ごく狭いつまらない集団内で）とかばかり気にして生きている人間を見ると、あまりにも退屈でくだらないとしか、思えない。「軽薄」とか「いいかげん」は、すでに古くなりつつある単なるひとつのスタイルですが、それがただのスタイルであると気づかないで「いいかげん」にどっぷりつかってしまった人間は、少し長くつきあうとおもしろくない。迫力がないのだ。（手紙　C8-278p）

ファズは十年まえのテクニックだ。ストーンズの「サティスファクション」が最初じゃなかったかな？　ボトルネック（スライド奏法）も、いまはだれもやらない。流行の浅薄さには、いつもうれしくなってしまう。（対談　ビートたけし　C8-9p）

ロック

ロックをきいたって、自由にはなれない。平和も愛も、無関係だ。なんとなくぼんやりと、しあわせな気分になったり、あのビートに昂奮したりするだけで。（オノ・ヨーコとキャロル　C6-191p）

ロックを聞いていると、有名になるとかお金がはいるとか、それから何かひとつのことをやりとげるということが、どうでもよくなるからふしぎです。ロックは上昇志向を育てない。無名性に沈むことが少しもいやじゃないということは、ロック世代のひとつの特質なのかもしれません。（そして、いまは……　――あとがきにかえて――　73/9『愛するあなた』）

若さ

清く貧しくても、それが美しいとは限らない。ましてや思春期のつづきのナルシシズムは。若さは貧しくみにくいものだ。若いというだけで無条件に美しいのは肉体そのものだけで、そんなものは自分にとってみれば、何でもない。

（私の同棲生活批判 73/3『婦人公論』）

わかる

理解する、といういいかたがある。理づめで解するのであるから、これは頭からはいっていくことであって、真実のイミにおける「わかる」ということではない。わかるということは、多分に感情的生理的な要素がつよい。「わかる」ということは、非常にむずかしいことであり、また（その情熱があれば）やさしいことでもあるのだ。解釈する、となると理解よりもさらにいちだんとおちて、これは百科事典的教養がその素地をなしている。前述の頭脳抜群の女性は「あらゆることを解釈できる」能力があるそうだ。してみると、わたしのやりかたとはちがう。わたしは、なるべく多くのことをわかろうとするし、どうあがいてもわからないことは理解というところまで妥協する。だが、決して解釈はしない。あることがらやある人間を解釈する、ということは非常に傲慢である、とおもうからだ。と同時に、相手にたいして失礼でもある。

（わらいの感覚　C5-207p）

夫・阿部薫

「ぼくはいつだって、のこしとかない。フリージャズは一発勝負だからさ」（ハートに火をつけて　C1-159p）

「きみが、ぼくに恋愛感情をもってない、ってことは知っていた。それでもいっしょになろうとしたのは、きみと別れたら、もう二度ときみみたいなひとに会えないと思ったからだ。きみのエネルギーの量はすごい。しかもそれが集中されている。コンクリートの壁をギリギリ回転しながらつらぬくようなところがある。なぜかっていうと、それは、きみがキチガイだからだ」（ハートに火をつけて　C1-193p）

――彼の演奏は強烈で凶暴ですさまじいといわれた。わたしにはこの感受性のつよい不安な男が「助けてくれ！」とわめいているようにきこえた。（阿部薫のこと……　C8-169p）

――彼は自分のすべてを与えようとしていた。たぶん、生命すらも。

しかし、彼は白痴であることによって同時に、世俗のアカに汚れていないように見えた。バカだから汚れようがないのだ。仕方がない。私は、彼に近づいていった……。（手紙　C8-288p）

　ふたりの関係を、阿部さんは「他人からは想像を絶する」といったけど、決して大げさではなく、そのとおりだと思う。（手紙　C8-289p）

「ジュンを苦しめるためになら、死んだっていいくらい。実際、そうしようとしたことある。あいつがねむってるすきに、風呂場にとじこもって、きたないカミソリ使ってたのよ。ちっとも痛くなかった。」（ハートに火をつけて C1-176p）

同居人はてんかん質の人間であり、過去に発作をおこしたこともある。その直前八時間から十二時間ほど、異常なほどの多幸感におそわれるらしい。たとえば、電車のなかで缶ジュースをのもうとする。プルトップをひっぱり、さて口もとにもっていこうとすると、突然ゲラゲラわらいだす。

缶ジュースということば、缶ジュースという存在が、もうおかしくておかしくてたまらなくなる。（わらいの感覚 C5-206p）

ふたりの世界は、卵のカラの内部のようなものだった。実在する肉体は夫と自分とふたりだけでありながら、想像力によるものがドームのようにわたしたちをおおっていた。彼やわたしの頭のなかのものが、赤く暗く外部からの光のように、ツルツルした壁に反映していた。（ふしぎな風景　C5-246p）

「きみをいじめることによって、ぼくはきみを大事にしていたのだ。ぼくのなかできみはそのくらい重要な位置をしめていたのだ」

それは身勝手ないいわけだが、真実にはちがいない。（ふしぎな風景　C5-249p）

カオルは、母親に支配されていた。

彼女に対する憎悪と怒りを完全に抑圧した結果、それは外部に投影された。彼は（自分ではその理由がわからなかったが）漠然と、この世界を憎んでいた。

一部の友人は知っている例の強姦結婚で、やっとのことでわたしを手にいれると、今度は妻に母親像をかさねた。彼は、わたしのなかの「ママン」を攻撃し、たたきつぶさずにはいられなかった。実際の母親には「いい子」を演じつづけていたが。てんかん患者のしつこさは、言語を絶する。「ヴァージニア・ウルフなんか……」どころではない。子供までいながら、二十八歳まで、家庭内暴力をやっていたのだから。高校生じゃあるまいし。そして彼には、父性愛がカケラもなかった。当然だろう。自分が（心理的には）思春期を脱していなかったのだから。

死ぬ一年まえに、彼のエスは解放された。「ぼくは、きみを愛しているんだ。そのことに、いままで気づかなかった。生まれてはじめてだよ。ほんとだったら！」

有頂点になっても、もうおそすぎた。モノゴトには時期とゆーもんがあるんだよ、カオルくん。とりかえしがつくのだったら、ひとは悲しんだりしない。そのとき、わたしは数年まえの会話をおもいだしていた。「いままでのすべてを、水に流そう」と、カオルはムシのいいことをいったのだ。「わたしには、その種の日本的心情イズムはないのだ」と答えてやった。

しかし、積年の問題が解消された彼は、自分をそうしてくれた女に、さらにしがみついた。彼の内部には「いづみは、オレのすべてをゆるしてくれる」という幻想が、形成されていたので。（「哀愁の袋小路」なのよ。C6-299p）

——死が残酷なのは、息をして冗談をいい、性交していた人間が、あるときからまったくの物質と化してしまうからだ。その肉体は硬直し、やがて腐肉になってしまうからだ。あとにはなにものこらないからだ。彼のようなメタフィジカルな男は特に。（死んだ男の残したものは　C7-94p）

しつっこい。しかも彼はしつこいことを美徳としていた。（グッバイ・ガールはやめようか　C7-139p）

——ある一時期（それが、いつごろのことでどのくらいつづいたかは、明記しない。そのひとたちの期待を裏切りたくないから）彼は、わたしの宗教であった。（グッバイ・ガールはやめようか　C7-139p）

鼎談

荒木経惟×末井昭×鈴木あづさ

もし、
いづみの本を読んでれば、
十七歳の犯罪はない！

アナーキーになって、自分に忠実に生きるっていう……
生きちゃった女……凄いなと思わせるわけですよ。……荒木

今の女の子と共通点があんじゃないかなっていうね、気がしてるわけ。
なんかほら、こう……自我が拡大した部分とか、ね。……末井

写真家の荒木経惟氏は、七〇年代のはじめから鈴木いづみとの付き合いが公私ともに深く、一九八六年には、追悼写真集『私小説』を発表している。また、白夜書房の末井昭氏は、雑誌連載などを通じて、やはり鈴木いづみと付き合いが深かった。この鼎談では、荒木氏が「獰猛な少女」だったという当時の鈴木いづみのこと、また、なぜいま若者が鈴木いづみを支持するのかなどについて、鈴木いづみの実娘で本書の編集に携わった鈴木あづさ氏を交えて話をきいた。

☘

鈴木　本日はお忙しいところをありがとうございます。鈴木あづさと申します。

荒木　ああ、ああ、ああ、ああ。

末井　初めて?

荒木　初めてだよね。

鈴木　そうですね。よろしくお願いします。今日は、まず母と荒木さんとの共著『私小説』についてお話をうかがいたいと思います。この本は今、古書店でもほとんど手に入らないんです。それも高くて……。

荒木　えっ。あ、そう。どうする(笑)。いづみの写真集は、六十年のアタシの写真史のなかで、そんなかでもいいね。うん。すごく、なんか。今来る前にちょっと見てきたんだけどさ。

末井　これは三千部くらい刷ったと思うんですよ。ところが八百部くらいしか売れてないわけ。だから、高いんですよ。希少価値という意味では。

鈴木　さらに国宝級の数にまでなってしまいました。

荒木　すごいね、それは。実をいうとオレも一冊しか持ってないからね。

鈴木　でもこれが出てきた年っていうのは、うちの母が亡くなった年だそうですけど。

末井　そうそう。長い間行方不明になっていた『私小説』の原版がでてきたわけ。

荒木　すごいでしょ、それ。霊が呼んだんじゃない?

霊が（笑）。そういうのってすごく私は不思議でしょうがないんだよね。そう、あるよね。

末井　荒木さんの場合は特にある。

鈴木　だからどうしても切り札にしたとしか思えないんで、つまり……。

荒木　だってね、不思議なんだよ。

末井　荒木さんから僕がもらったときは、台紙に写真を貼って、写植まで打って貼ってあったわけですよ。僕はだからそれを、印刷しただけなわけ。レイアウトも全部荒木さんがやってあった。

荒木　やったの。これがもう、思いこみがすごかったんだ。一冊自分で、要するに作っちゃうっていう……。

鈴木　へえ……。

荒木　これ全部があれだよ、あの、わたしの構成とレイアウト、全部。

末井　あの台紙があるといいですね。あれ展示するといいですよ。

荒木　ねえ。

鈴木　「あれ」？

荒木　元の。

末井　元（笑）。

荒木　だから、プリントのさ。台紙に貼って、この、そっくりそのままっていうのがあんだよね。そんでね、写植も打ってあったでしょう。

末井　たぶん、荒木さんに返したと思うんだけど。

荒木　あ、そう？　じゃあ、ウチの大倉庫へ移動したから、ちょっと調べさして、あればおもしろいけどね。だってこれの、これとかね……。

末井　おもしろいですよ。普通、これなんか印刷屋さんでこう、写真と写真を製版で合わせたりすんだけど、全部貼ってあったんですよ。

荒木　そう。

鈴木　えー。

荒木　貼ってあるわけ。

末井　だから、印刷のとき一発でこうやって撮るだけ。

鈴木　じゃあ、間が白いのは関係あるんですか。

荒木　うん、そうそうそう。だからこうやってさ、印画紙をさ、一枚ずつプリントして張り合わせていったんだ、これ。

鈴木　めちゃくちゃ……。

荒木　うん。だから、手作りの。

――レイアウトも素晴らしいなと思ってたんですよ。

荒木　上手でしょ（笑）。ていうのはね、やっぱり、そういうふうにこう、なんていうんだろう、人の中の、人の中のやつにこう……雑踏の中のいづみじゃなくちゃいけないわけですよ。こういうほら、ポンポンというような、そういうのを入れ込まないと、違うの。ただ一点あっても、ていう写真集……この中のっていう、なんか今の時代の街の中の……。

鈴木　まあ、ぐちゃぐちゃと。

荒木　そう、雑踏の中のっていうアレで、なんかこう、ピッとここが凸で、向こうが凹になるような感じっていう……群集が。だからこれはどうしてもね、こう、混ぜてオレがこう、構成しないとだめなんだ。一枚ずつ貼って……みんな貼ってあるわけ。だから、そういう造りなんだ、これ全部。うん。これいいよね、熱が。こんときも夏っぽかったけど、夏だね。

末井　熱ですね。荒木さんはいつも熱を出している。これ、なんかインタビューでもさ、また写真熱が出てきてどうのとか。

荒木　熱（笑）。そうなんだよねえ、熱が出ちゃって。そうなんだ……。

☘

末井　この写真は、やっぱり鈴木いづみというより、その時代を撮っていますよね。

荒木　これはね、うん、そう。こんときの写真は、一番いれこんだっつうか、まあ結局彼女とのさ、今でいうコラボレーションなんだよね。今の時

代の……生きてるっていう、やっぱりもう、なんてったってね、あれなんだよね、時代生きちゃったから。

鈴木　なんだかもう……密度が濃く見えちゃうんですよ。

荒木　うん。時代の……。そいでドンとね。よし、じゃあ、勝手に今を表現してくれ、今っつうかさ、自分をっていうことで、衣装とか、なんとかって……決めたのよ。だから化粧も、そのころの化粧だよ。

末井　他の写真家が撮った写真があるけどさ、比べると（笑）、比べると悪いんだけど……。

荒木　だめでしょ。

末井　うん。なんかこう、よくあるストーリーの中にはめ込んでいるようで……。

荒木　やっぱり向こうからくる……あのね、アタシは、そのころから、相手を引っ張り出すっつうか出てきたものと、こっちのをぶつけて行ったり来たりするっていう撮り方だから。すんごい……だからこれもすごいよ。これは、こんときはね、あの、今だとさ、要するにこう、

何人かで……。これもさしで二人でやってね。これはどこだっけな。池袋だったかな。

鈴木　池袋？

荒木　どっかね、あの、二、三か所変わったんだよね、アパートね。で、行って、オレ覚えてんのは、やっぱこの花をね、駅前で三五〇円ぐらいの……。

鈴木　やっぱり、これですか。

荒木　これなんだ。わかるだろ。この花じゃなきゃだめなんだ。ちゃんとした花じゃだめなんだ。そこらの昨日の残りもんみたいなの、三五〇円とか……。

鈴木　しかも包み紙もこういう感じのじゃなくちゃ……。

荒木　そうそうそう。それを持っていって、どうしても意識的に小道具……それとラッキーストライクね。どうして

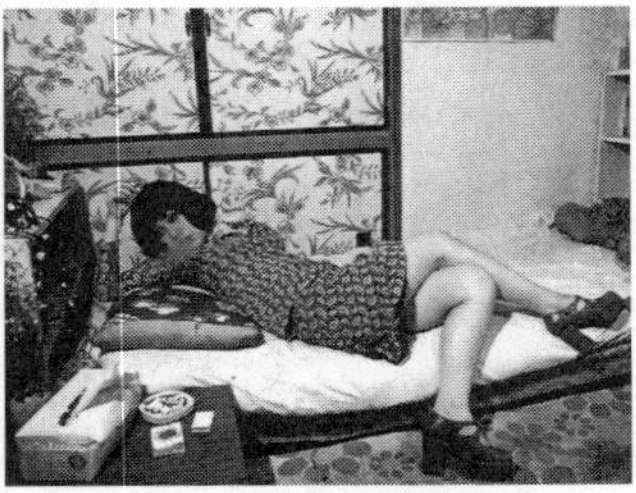

もラッキーストライクじゃなくちゃだめだと思って。これとこれですよ、おみやげは。そうやって女のうち訪ねんのさ。

——ラッキーストライクはいづみさんが吸ってたんじゃないんですか。

荒木　そうそうそう。

末井　小道具。

荒木　そう、要するにそのころ、戦後のなんとか……オレなんにもないんだけど思想は……マッカーサーのなんとかとかさ、あるのよ。ラッキーストライクなんだよ。やっぱり、ね。時代が。で、ここで、三ポーズぐらい撮ってるんだよね。

鈴木　へえ。そうなんですか。

荒木　うん。で、おんなじここ……これと、ベッドルームで、これとかさ。そういう……。

鈴木　同じ部屋なんですか、今の……。

荒木　うん、そうそうそう。

鈴木　へえ。
——脱いでるのもありましたね。
荒木　あるあるある、あるよ、これ。何種類も撮ってる。
鈴木　色が何とも……。
荒木　すごいでしょ。これはね……やっぱりこのころはね、ちょっと不自由っつうのがいいのよ。ていうのは、ちょっと不自由って変だけどね、今だともう、ちゃんとさ、右置いて左置いて、二人ぐらい連れて撮るじゃない。これ一人でさ、でっかいカメラ持ってって、ライトもあまり持てないから一灯ぐらいでやるわけよ。だから、そういうのがいいんだよ。で、時代もそうだったわけだよ。今のだめなのはもう、すごくさ、よーく写っちゃったり……すごくこう、デンジャラスに……。
鈴木　まあ、「良く」っていうのは都合良く写るっていうか、被写体にとって都合のいい写り方という意味……。
荒木　……つうのはなんだ、表面上、えー、ふと喜んじゃう写真だな（笑）。あれ？
鈴木　サイボーグのようなまでの完璧な写り方をするという……これは、アレンジは似たような、イメージは同じ……。
荒木　そうそう、今のは。自分でこういうのが、よくやるよなあ、と。こうちょっとさ、その時代のさ、こういうのがいいんじゃないっつって、やっぱり、七〇年っつうか六〇年代の終わりころの感覚を持ってたんじゃないかな……六〇年代の終わり、映画のハリウッドのアーパーな感じが好きだったみたいだよ。
鈴木　色的には私、これとても好きなんですね。どうしてかって聞かれると、言葉では細かいことを説明できないんですが。
荒木　重くて渋い。
鈴木　なんか日活っぽい。
荒木　とにかくね、これなんつうんだろうな、ある意味で、原色っていうのがねらいなの。原色っていうのはね、彼女の原色持ってるんで、色の原色っていうんじゃなくて。要するに原色の女だったんだよ（笑）。うん。

鈴木　このつぶれかけティッシュも、これは意識的なものですか。

荒木　得意技なんだよね（笑）。足でガーッと踏んでやったりとかね（笑）。

鈴木　ウチの母だったらありそうな感じがしないでもないですね。

荒木　そうそうそう。そりゃあ、激しいセックスだと頭が当たって、きゅっとかさ。それから、ぐっと引っ張り出してそこらに散らすのオレ得意だからさ（笑）。その、なんつうんだ、一種のさ、場面っつうか空間を作りながら撮ってくっていう……二人でね。そういうのがおもしろい。

☘

荒木　この写真はね、ちょっとほかと比べてさ、優しいでしょ。気持ちが。これはですね、『面白半分』っつって、五木（寛之）さんが編集してたときの……五木さんが、もうぞっこんだったんだよ。

鈴木　なんかとても評価していたという。

荒木　そうそうそう、すごい。五木さんなんてね、いづみの原稿……お母さんの原稿を持ってきて、自分の原稿を渡すときについでに読ませたりさ。すごい入れ込みなんだよ。そのくらい好きだったんだよ。

鈴木　なんか、今の若い読者カードを送るような女の子と同じような熱の持ちようだったんですね。

荒木　そうそうそう。だからあんまり熱心だからさ、五木さんにあるときさ……五木さんじゃないや、いづみにね、五木さんと寝たことあんのっつったら、寝たことないって言ってたけど。よけいなこと聞いたんだ（笑）。だから、そんとき五木さんが、「僕は荒木さんの写真はわかるけど、その、ドロいっつうか、どっちもドンドーンって汗とらないで撮ってるような写真が……ああいうのは素晴らしいのわかるけど……私はファンとしてね、もう少し素敵に、素敵って変だけど、荒木さん、撮れるんだったら撮ってくれ」という注文なの。だからちょっと優しいでしょう。したらもう喜んじゃってさ。あの五木さんがね（笑）。

末井　この写真はあんまり恐くない。こっちは恐いよね。

荒木　これはちょっとは近寄れんだけど、そっちは近寄れないよな（笑）。

鈴木　うん、ファンタジックですよね。こっちは。

荒木　だろ。うん。こんなのラブホテルで撮ったんだよ。

鈴木　え。それがですか。なんかお金持ちのお家のお風呂かと思いました。

荒木　そうそうそう。これはあれか。これ『面白半分』かな。な。いいじゃん。

鈴木　確かに『面白半分』に（笑）。

荒木　だって、素敵だよ。うん、そう、これはローライで撮ったんですよ。リチャード・アベドンがマリリン・モンローを撮ったときみたいな感じで。マリリン・モンローの名作あるでしょ。

末井　ローライって、あの二眼レフのやつ。

荒木　そう、二眼レフ。だから撮るときに、カメラをそのころから選んで、やさしさのときはローライ、で、プラナーのレンズでとかさ。静かなプシュッて音で、とかさ（笑）。

末井　これ（ベッドでのカラー写真）は？

荒木　これは6×7でガチャーン。

鈴木　爆音系の……。

荒木　そうそうそう（笑）。そりゃあそうだよ。

末井　攻撃的な感じ。

荒木　そうそうそう……これはしっとり、やさしい愛撫だね。そういうのね、あんだよ。それで彼女の、そういう反応も良かったからうまくいくんだよ。

鈴木　ラブホテルには見えませんね、雰囲気的には。

☘

鈴木　これがいかにも追悼という雰囲気があります。その……（『私小説』の）表紙が。

荒木　すごいだろ。最初からそれでガーンといこうっつってね、どうしても……。

鈴木　あの、母親がまあ、亡くなったとき、私の目の前で亡くなったんで……

荒木　うん。どうだった、そんとき。

鈴木　カメラ……ちょっと記録写真として……まあ、一生忘れないように写真に撮っておこうかと思ったけど……。

荒木　無理だった。

鈴木　近くにカメラがなかったんで……。

荒木　なかったんだ。時代がアレだねえ。

末井　撮ろうとしてたの？　写真を撮ろうと思ったの？

鈴木　もう、一生忘れちゃいけない出来事だったから。

荒木　いくつだったの。

鈴木　八歳。

末井　八歳でカメラを探したの。

荒木　いや、今のやつは八歳でも持ってたら撮るよな。バカメラ、普通の「写るんです」とかさ、そういうのがあればね、見よう見まねで……。でも、やっぱり撮らないとさ、印象……光景が薄れていくでしょ。

鈴木　そうですね。ただ、記憶として忘れちゃならん、ていうのはあるけど、実感が薄くなりますね。

荒木　なるよなあ。写真もそのとおりじゃないんだけど、撮っとくと、ものすごく記憶を蘇らせてね、もう色ずんでくるんだよ。特にモノクロの写真か何かだとさ、余計にものすごく記憶が拡がるんだよね。それはね、最近あれ、過去の写真やなんかさ、まとめたりなんかしてんじゃない。そうするともう、忘れたことがね、グワーッと来るね、全然忘れたこの、バーッと……。

鈴木　それって覚醒ですよね。

荒木　ううん……すごい……もう大変だな、覚醒剤だって、写真は。

鈴木　そんな……（笑）。なんかもう、記録写真を当時撮ってれば、まあ失礼ではありますけど、いっしょに一枚こちら（『私小説』）に……。

荒木　いやいや……裏表紙？　あ、裏表紙じゃない（笑）。それはすごいよな。そういう……。

鈴木　今ごろ、過去の想像をしているんですよ。過去の想像っていうのも変ですけど。まあ、こういう……このへんにでもと思って。ちょっとかなり後悔していますね。

荒木　うん。でもやっぱりね、彼女の一番の魅力はね、すんごい太く生きてたから、その反面っつうんじゃないんだけど、まあ一緒にね、すごく死というのをいつもね、そばに感じさせたんだね。うん、あんだよ、それは。そういうとこがね、彼女の重いとこだったね。うーん。だからいつもオレ、自分の写真でもさ、死がね、死観っつうか、死の観ね、そういうのが薄いとつまんない、写真が。ポートレイトでもなんでも、死相が写ってないとつまらないんだよ。

鈴木　なるほど。

荒木　彼女の場合も、重いもんね。

鈴木　重たい、ほんとに。

荒木　重いよー。

鈴木　荒木さんの写真集の「死　エレジー」（荒木経惟写真全集　第15巻）はすごく重くて、初めて拝見させていただいたときは、最後まで見きれなくて……。そのうち落ち着いてきて、最後まできちんと（笑）。

荒木　あれ、ああいう身近な……重いっつうかね、うん、そうそうそう。ああいう感じのことがね、あるし。それと、ひとつこれ、追悼とかなんとかって気分があるから、それも感情的に入ってんじゃない（笑）、な、一応。

鈴木　ほんとに追悼のような雰囲気が……。

荒木　だろ。そう、そのときの、性のときにね、セックスのときに死が感じられるなんつうんだからすごいよ。うーん、名作ですよ。オレも探してる……それと、今度千点選んでるっつうのは、「Araki by Araki」ってタッシェンからさ、厚いの出すのに、ボーンッて……だからそれ用なのよ。そん中にもね、入れたいわけよ。そういうような気分のときに……。

☘

末井　これは三人で撮ったんですか。

荒木　ん、そうそうそう。このころはね、そういうときはやっぱり……三人のね……。やっぱりおもしろいのはさ、この時期には、黒子にしないと……。重なっちゃだめだっていうんで、工夫したのよ、自分で。これはでもね、生理的にっつうかさ、日本の黒子に影響されてるし、きっと。単に黒くしたんじゃなくて。黒子、歌舞伎の加味してんだよ、期せずして。だから今、このネガが出てくるとするでしょ。これをそのままプリントするより、これのがおもしろいんだよ。おかしいよな、黒いのとやってるっつうのは。なあ、ねえ（笑）。

鈴木　黒いのとっていうのが……。

荒木　いいだろ。うん。

鈴木　じゃあくろうとですか。なるほど。

荒木　そうそうそう（笑）。この男は、今つきあってんのでね、いけるやつちょっと呼んでくれるっつってさ、で、来たのが天井桟敷でこれからいけそうな演出家……、そのころはね、ザーキな男でかっこよくてさ、才能もあるし切れてたんだよ。すごく。来たらてんでいいよね、うん。おませで、おとこでさ。で、才能はあるしね。それでつきあってたんだよ。

♣

荒木　これは、スタジオ、いろいろとね、だからね、こう、もう頭にさ、雑誌……写真集もあるから、いろんな彼女の、バラエティに富んだね、いろんな攻め方をしようと思って、スタジオで……。

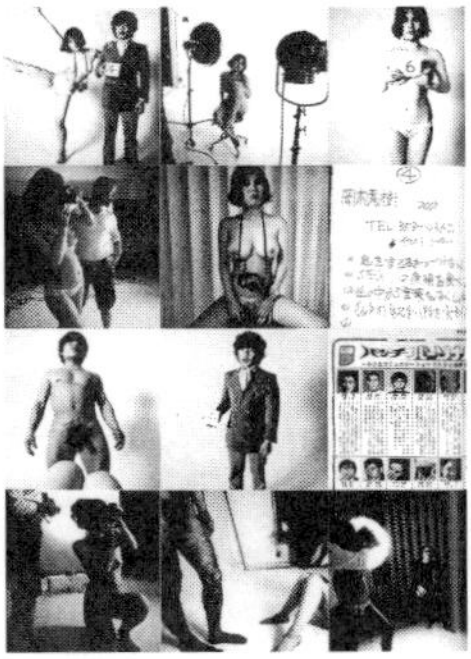

末井　これは電通のスタジオですか。

荒木　そうそうそう。裸としての、ヌードとしての良さという、とかさ、ていうようなの、とかさ。ステキでしょ、そういうの。

――いづみさん、書いてますね。電通のスタジオを荒木さんのだと思った……。

荒木　いやね、六時、七時ごろになると、ね、サラリーマンだから残業するの嫌だから、一生懸命やっちゃう、もう終わらしちゃうわけよ。で、スタジオ四つくらいあったから、広いのが。絶対空いてるわけ。平気でサーッと行って（笑）、やってるの。

鈴木　荒木さんのスタジオだと（笑）。これ荒木さん、元気な……。

荒木　かっこいいだろ、土方だよな。カメラマンがいづみってさ、おかしいよね。それで、だから、いろんなその、戯曲とかさ、小説とかいっぱい入れ込んでやろうっていうような感じでいったんだよね。

末井　でも、なんかこう、まじめなレイアウトですね。

荒木　ちゃんとしてる。案外ちゃんとしてんだよ、オレは。

――最初、末井さんがやったのかと思ってました。

末井　いや、僕じゃない。

荒木　末井さんがやったらもっとね、でたらめにしますよ。

☘

――この『ウィークエンドスーパー』という雑誌では、ずっと、いづみさんがインタビュー記事を書いていていて、荒木さんは写真を連載で掲載されていますが、そのころお二人はあまりおつきあいはなかったんですか。

末井　あんまりなかったんじゃないですか。ありました？

荒木　え、いつごろ。え、どうかね。何年くらいかな。え、『ヘヴィスキャンダル』なんて知らないねえ。

末井　部数が少なくなっちゃったから、雑誌のタイトル毎月変えてね。そうしたら、部数が増えるんですよ。いいかげんだったから、そのころね。

――一九八一年です。

荒木　ああ、じゃあ、やってたね。オレ、最初あれしたのはね、小説っぽいね、小説銀河じゃない、なんだっけな……そういう小説っぽいね、月刊誌のグラビアに出てたのよ。そんでね、オレ勘がいいからさ、できる女だって、今のあれだってさ。まあ、ソフィア・ローレンじゃないけど、アニタ・エクバーク？　ああいう類の感じで……。すぐラブコールしたんだよ。

末井　資生堂の喫茶店でしたか。

荒木　銀座のさ、三愛のうえで、見えるところでまず会ったんだよ。あれは覚えてるね、よくね。

鈴木　率直におっしゃっていただきたいんですが、初めて鈴木いづみに会ったとき現実感ありました。

荒木　現実感ありすぎっつうか、獰猛《どうもう》って感じでさ。なんていうか、ひとつは垢抜けてないっつう魅力だね。まだこう、土がついてるっていうんじゃないけど、脇の下に汗をかいてるとかさ、たとえば。やっぱり粋じゃないですよ、っていう感じ。それはね、肉体のせいです。ボリュームある女っつうのはね、どうしても土着的だよ。うん、そういうような感じなんだよね。だからエロティックかセクシーかっていうと、分類するとエロスのほうだよね、うん。セクシーっていうのは、細くてさ、洗練されてないとそういう言葉がでないだろ。感じが（笑）。

鈴木　そうなんです。きれいなカバーがないとでてこないんです。

荒木　だって…存在感で、ドーンって……。アタシの言葉で言うと女在感っていうんだけど。うん、そういう感じなんだけど、だからたいがいの男は逃げたね、だろうね。オレもちょっとタジタジ……（笑）。

鈴木　え、そうなんですか。

末井　荒木さんも逃げた。荒木さんにとってどうなんですか、鈴木いづみは。

荒木　え、まあむずかしいよね。アタシの場合は、いろんな文学だとかさ、なんかいろんな意味で、ピュアな愛とかさ、なんとかってあるじゃない。アタシ、終生濁ってっから、ね。写真のための愛っつうか恋っつう線だから、ね。オレの場合は。

鈴木　とても意識的ですね。

荒木　うん、そういう。だから、最初っから、たとえば、お、これいける、今オレがやりたいことを、彼女はできるっていうような感じだよ。だから、そのころどういうことをやろう……やりたいなと思ってたかというと、写真っていうのは、ただ「撮る」だけじゃなくて、っていうような感じがあったから。だから、「彼女」を撮ったっつうとさ、そんじゃあ、普通だったら写真家がね、作家とやりたいっつうんだったら、たとえばこういう本作ってこうこうこういう感じで、ね、っていうじゃない。そうじゃなくて、もう、まったくお任せふうにしてもってったほうのがおもしろくなるなという、そういうようなのを見抜いたっつうか感じたわけだよ。だから結局、なんつうの、プロデューサーっつうかね、ディレクターっつうか、そういうような……プロデュースしたようなもんだよ。だからたとえば、そのころから私小説、私小説って言ってたから、ね、「あなたの私小説を作りたい」となると、そっちのことだから、私小説ってのは。

末井 うーん。

鈴木 そうですよね。

荒木 だろ。オレは、私小説を作るわけにいかないんだから。

鈴木 「私」という字ですから。

荒木 うん。そうそう。鈴木いづみの『私小説』……っていう写真集を作りたいっていうことになったらさ、えぇとさ、ここで熱海にいってさ、そういうのってあんじゃない。

鈴木 (笑)。

荒木 じゃあ、ってんで、そういうような漠然とした話をして……じゃあ、シナリオでも書いてきてよ、っていうことからやったの。そしたらこれがまたいい……よかったのはね、コラージュ持ってきたんだよね。文章じゃなくて。

鈴木 そうですね。それも読みましたよ。

荒木 うん。そのころのね……それが残ってるとおもしろいんだけどね。ない？　画用紙かなんか、貼ってきたんだよ。オレがもらっちゃたのかな。あ、そうかな(笑)。

鈴木 じゃあもう、荒木さんがさっきの『私小説』に手でこうされたっていうのと同じような形式……。

荒木 うん、もうもうもう、もっとね、ほら、コラージュだから、自分の好きな女と街と混ぜた……そういう……だから、はっきり記憶にないけど、ものすごく自由奔放にさ……自分の好きな女優とか、好きな場所とかっていうような感じでできた。よし、これはいけるっつうんで、まあ適当に、じゃあもう流れでいこうっつって。それから、こんなアイデアはどうって言うんで、大きなねらいが分かったんですよ。要するに、えー、コラージュな、自分をコラージュするっつうかさ、うん、まぜこぜにするっていうようなね……っていうようなあれがある。

鈴木 ほんとに『私小説』ですよね。

荒木 うん、すごい。それで「役をやろうや」なんていうと、その役をやることによって、自分の、逆に「私」というものをね、グイッて出す表現力があんだよ。だから女優としての。

鈴木 荒木さんもいつか、どの雑誌だか忘れましたけど、どこかの雑誌で、「女はみんな女優になれるんだ」っていうようなことを書いて……。

荒木 うーん。そうそう。「女はすべて女優である」っていう……。

末井 「女優たち」っていうシリーズがあったんだよね、うん。『ウィークエンドスーパー』で連載してましたね。

荒木 うん。まあ、ちょっとあれはね、だましめなことがあって……。女がすべて女優になれるわけないじゃん。ああ、そんなこと言っちゃいけない（笑）。女がすべて女優なんて嘘だもん、それほど……。女劣だ、女優じゃなくて、女劣もいるっつうさ（笑）。まあ、引っかけの……まあまあまあ、そういう話はね、これからまだ写真撮るからね。でもね、冗談じゃなくて、みんな素敵なとこ持ってんだよ、うん。それはね、うん。

鈴木 なるほど。

――いづみさんはヴィジュアル感覚がありましたよね。イラストも描くし……。

荒木 そうそう。だからそういうような……。

末井 イラスト描いてた？　ああ、見たことないなあ。

へえー。

荒木　なに、残ってんじゃない、そこらに。ない？　イタズラ書き。

――ええ。ほかにも少しあるんですよ。

荒木　そういうのおもしろいじゃん……。今なに、すごく受けてるわけ。

鈴木　なんかあの、今、特に私と年の変わらない、二十代前半の女性に受けてるらしいんですよ。

荒木　あ、そう。

末井　今の女の子と共通点があんじゃないかなっていうね、気がしてるわけ。なんかほら、こう……自我が拡大した部分とか、ね。

荒木　うん、そうね。要するに……そうそうそう、エゴいよな。エゴくなりたいっていう、うん。いい意味でね、うん。わがままっつう……ま、一応魅力的だけどさ。

鈴木　過剰すぎるところが似てなくもないかな、って。私は最初不思議に思ったんですよね。

荒木　自由奔放じゃなく、自由沸騰とかさ。そういうような感じなんだよ。おそろしいんだから。いろいろとね。

――今の若い人は、いづみさんよりすごいメイクで、普通に歩いていますからね。

末井　そう。だからメイクも、だからその、鈴木いづみのメイクってのは、なんか、ある種、鎧のようなね、仮面のようなね、感じなの。で、今のコギャルなんかもすごいじゃない。

鈴木　末井さんもなんか、そのあれにでも刺激されて……。

末井　えっ。ああ、あれはね……。

荒木　ありゃ別だ！（笑）。

鈴木　末井さんがいっぱい街中に歩いてるって（笑）。

末井　（笑）。

荒木　うん、うん。そうだねえ、うん、そういう化粧のこともそう……ああ……うん、そうなあ、ちょっとあれかもしんないな。

末井　化粧といえば、荒木さんも素顔を見せないってとこありますよね。
荒木　オレも?
末井　化粧のようなもんですよ。あれは。
荒木　もんだな、ヤーサンだよな。
末井　最初会った頃、まん丸のサングラスにヒゲ、帽子でしょ。あやしい感じで。
荒木　うーん。な、なんでだろ、今見ると、そのころね、いけてると思っちゃってたんだろうね。ほら、マンボのズボンにさ、サングラスでさ、ガラ悪いよな。それじゃあ、電通だって裏門から入ってくれ、っていうよねえ。
鈴木　なんかあの、インドの首飾りをされていたというような話をうかがったんですけど（笑）。
荒木　そうそうそう（笑）、ジャラジャラと。そういうようなね、だからやっぱり、オレも一種のさ、オレの言葉で言うと、一種の照れだけどさ。照れ……。
鈴木　照れ?（笑）。
荒木　照れてやってるわけだよ、そういう。
鈴木　照れると過剰になってしまう。
荒木　そうそうそう、平気で山高帽被ってたりとかさ。よく……今考えたらよくやった、恥ずかしい……。でも今もね、それに近い恥ずかしいことやってると思うよ、なんか。あと、もう少し経つと……。どうしてこうやって……な、ピカチュウの頭にしてんのとか、してたのかとか後で思ったりとかさ。うーん、だから今は……だからそんときそんときはわからないけど、あとでさ、キーッ……。反省はしてないけどね（笑）。

☘

鈴木　これはもう、遊んでる時間。
荒木　二人の……そうそうそう、部屋でね、一部屋でね。
鈴木　一緒に遊びましょう……。
荒木　いいだろう?　そういう……あの、その、一部屋のさっき……ほら……でそのころからさっき……その、ね、彼女の、ここ、窓から向こう見ると、さっきの、こう……家がある。これもう……。

荒木　いいでしょ。

末井　これもいいんだよね。おもしろいなあ。

――本の名前が全部わかる……。

末井　そうねえ。

荒木　いいでしょ。

鈴木　精神分析……。

荒木　こういう本を読んでたっていうのが、ここがまたね……。だいたい、本棚撮っとくとね、いいんですよ、その人の。だって、よく言うでしょ、人の本棚を撮ると、だいたい分かるっていう。

鈴木　人の本棚ほど見たいもんってないですよ。

荒木　うーん。

鈴木　自分の本棚は見せたくなくても。

荒木　これ昼下がりのね、オナニーシーンやろうぜって……そういう……。だから、そういうとこがあるのよ。真っ昼間だよ。必ず、窓開けてやるっていうとこがいいんですよ、ここは。これはね、だからね、昼間、窓開けてのオナニー……これが鈴木いづみの肉体論ですよ。うん、考えってていう……。だから、そういうのを出さないといけないんだよ。

鈴木　いや（笑）、ちょっと……。

荒木　まあ、ちょっとね。こういうの……。

鈴木　すごいですよね。ほんと……。

荒木　いや、どうしてもこの、ほら、一種の無常観を出したくてね。

鈴木　ほとんどの人はできないですよね。

荒木　要するに情景からね、風景にいくっていうとこなんだよ、うん、それは。だからこれはなかなかな、もう今オレが解説するといい本にどんどんなっていくんだ（笑）。こういうねえ、楽しい本を作んなくちゃだめですよ、写真集っていうのは。

末井　これほんとにいい本ですよ。

荒木　うーん。そうだねえ。もっとさ、ほかにさ、鈴木いづみっつうの撮ってなかったかね、誰かまわりのやつが。なんかね、あんまりいないねえ。もっとあのころ撮ってたはずだけどなあ。だって今でいうね、ＡＶじゃないけど、あのピンク女優っつうんだよ。そのころはピンク女優。

鈴木　ＡＶとポルノとピンク女優は違いますよね。

荒木　うん、違う。だからピンク女優っつう名前だった、名称。だから、絶対誰か撮ってるはずだよ。うん。

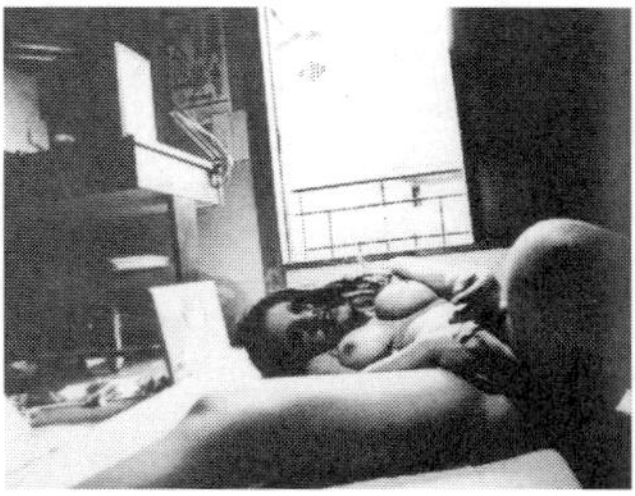

末井　あのね、ヌード写真集があるんですよ。

荒木　あんの。

鈴木　また違う。

末井　浅香なおみ、っていう。

荒木　ああ、そうそう、そんな名前だったよ。

末井　それはあるよ。

——一冊全部がそうですか。部分的なのはあるんですよ。

末井　ああ、部分的かな。

☘

末井　でも、いづみさんのはあれでしょ、シリーズは売れてるの。

——そうですね。

荒木　そういうのいいね、いいね。そうやってファンがいてな。

鈴木　だからもう、ほんとうに今の若い女の子が、こちらに目を向けてるというのが不思議だったんですね。で、当時のリアルタイムの六〇年代、七〇年代の若者と今の若者の決定的に重なる点と決定的な違いっていうのは、どんなふうに見えますか。

荒木　うーん。いや、わかんないけどさ、その、やっぱりね、あの、一種のさ、暴力が欲しいんだよ、うん、今。

鈴木　劇的なものが欲しい……。

荒木　そう、ドラマティックなね、ドラマティックな暴力……暴力っつうか、ね、だからいいんだよね、もし、いづみの本を読んでれば、あれですよ、十七歳の犯罪はない！　惜しかった。もうちょっと早くブームにして、読ませるようにすりゃよかったんだよ（笑）。そうですよ。

鈴木　十七歳……。私はもう、あれですね、ゲームセンターって全然好みじゃないんですけど、ゲームセンターで射撃ゲームをして疑似体験してるから、十七歳にならないで済むんですよ（笑）。

荒木　ああ、そうか（笑）。

末井　人、殺してる……。

荒木　それでやってたの。

鈴木　もう、人も殺すし、もう監視カメラも撃ちまくってます。最近、毎日。

荒木　そうか、ああ、そうか、そうか。うちらも……だからな（爆笑）。

鈴木　別に十七歳の彼らも殺人願望があるってわけじゃないと思うんですけど、何か刺激が欲しかったのが行き過ぎちゃっただけなんじゃないですかね。

荒木　いや、もう、やっぱりあれだよね、その何つうんだろう、肉感っつうかさ、体感っつうのがね、欲しいわけですよ。

鈴木　それを実感したい……。

荒木　うん、だからね、今そういうのないじゃない、チャンスが。だって、面と向かって振られることないだろ、罵倒されることとか。
鈴木 うーん。
荒木 少なくなってきてんじゃない。
末井 少ないね。
荒木 うん。電話……こんなん（携帯電話）でとかさ。やってんだろ。
末井 メールでね。
荒木 メールと携帯でしょ。そんなのだめですよ。だって、そういうのになったら、これからどんどんアレだよ。
鈴木 でも、この『私小説』を見て、そして、今携帯が流通してる時代に、目の前で荒木さんを見ているという現実に今驚きを……。
荒木 人類でいうと、オレは旧人類だからね。絶対にパソコンはやんないし、携帯持たないし、とかさ。
末井 あれは、でもおもしろいね、やると。
荒木 いや、やるとハマるのよ。これはね。末井さんがハマんのわかんのよ、オレは。やんのわかんだけど、もう……オレはほら、テレビが出たとき、テレビ罵倒したんだけど、テレビにハマっちゃったでしょ、たとえば、ね。
末井 水戸黄門。
荒木 もう、だめなんだよ。そういうあれが……あれはね、そりゃおもしろいのわかるよ。
末井 おもしろい。
荒木 うん。でもね、うーん、もうちょっとね、あれですよ、動物でいないといけないっていう……。だから、要するに動物性だったんだよな、彼女は。今のやつらは、植物性のほうだから。
鈴木 そうですね、ほんと水溶性ですよね。

☘

末井 僕はね、荒木さんにいづみさんを紹介されたんです。原稿頼んだらいいんじゃないかって。

荒木 そう、これはもう……。オレもほら、何書いてあったか忘れたけど……読んでもね、忘れちゃうんだけど、すごくいいんだよね。いいっつうか。だから要するに、ストーリーを追ってるからじゃなかったんだろうな。ストーリー性じゃないんだよね、書いてたものが。だから、私もほら、勘としてはね、だいたいね、いい悪い分かんだよ。まあ、いい悪いっていうと失礼だけど、好き嫌いっつうかさ、感じる感じないっつうか、そういうことは分かる。

鈴木 そうですね、それです。

荒木 感じることは……で、末井さんもほら、感じ屋だから、どうせ。それだけだ（笑）。で、確かそうだよ、それでもう、裸のなんとかっつうんじゃなくて、小説家……文章のほうでの、オレはもういいっていうことでね。跡継がなくちゃだめじゃないか。跡継ぎ……跡継がなきゃ、書かなくちゃ。

――この語録で今、共同編集の形でやってもらっていますが……。

荒木 やってるんでしょ。だから、そういう入り込みからさ……。

末井 跡継いで、原稿書く……ニューノベルですよ。

鈴木 いや、私は文才全くないんで、ほんと。

荒木 音楽のほうなんかは。

鈴木 いや、私は世良公則のリスナーの才能しかないんで。

荒木 なに、世良なに?

鈴木 世良公則さんのリスナーとしての才能しかありません……（笑）。

末井 それは何か似てるね、いづみさんとね。そういうとこが似てるよ。

荒木 そんなこと言って……ため口きいてる奴なんかちゃんと書けんだよ。大丈夫だよ（笑）。

末井 半分ほら、バカにしてるっていうか、冗談でそう言ってるわけでしょ。

荒木　（笑）。
鈴木　でも最近、結構マジになってきちゃったんですよ。ちょっとブレーキかけてるとこですね、マジになりそうになったから。
末井　僕もね、会ったのは去年だっけ。
鈴木　去年ですよね。
末井　去年はじめて……。
荒木　末井さんちょろっと言ってたよ。会ったって。あづささんっつうの。カタカナ？
鈴木　ひらがな。「つ」に点々。
荒木　あ、おんなじ。いいねー。
鈴木　「あづさ二号」っていうあだ名を、よく昔つけられましたね。
荒木　あ、そう。誰の二号してるの。ねえ。僕の三号にならない。何言ってんだ（笑）。
鈴木　「あづさ二号」って、曲の……。
荒木　知ってるよ、知ってるよ（笑）。そのぐらいの歌、知ってるって。
鈴木 いや、私二号や三号、ヤですね。
荒木 そうか。
鈴木 絶対、〇号じゃなきゃ。
末井 〇号。
荒木 一号じゃないな、〇号だろうな、感じは。いい、グー、グー。
鈴木 一号じゃ、二号、三号いるじゃないすか。
荒木 そうそうそうそう。
鈴木 ええ。
荒木 もうね、そうだな、いづみはうちの妻に嫌われてたね。
鈴木 えっ。
荒木 まあ、そらそうだよなあ。
末井 いや、うちの妻にも嫌われてたよ。
荒木 そうよ。まあ、ヅカヅカヅカーッとさ、来てさ。一番怒ったのはさ……。

荒木・末井 冷蔵庫をパッと開けんだよ。
鈴木 いきなり。
荒木 うん。で、そういうのはね、主婦っつうのかな、妻っつうの、オレの妻は、陽子だから、嫌がんだよ。冷蔵庫、アレすんのは。開けられんのは嫌なんだよ。それを平気でやって、アーっと出して、ウーっとやるってい う、そういう性格があったね、うん。その線……うーん、要するに一種のね、あの……常識的な礼節を知らないね、暴力的な女だったんだよ。
末井 礼節はないですよ。
荒木 だんだんひどくなってきた、ひどくなってきた。礼節がない（笑）。
鈴木 いいですね、いいですね。
末井 礼節なんて一番軽蔑してたんじゃない、おそらく。
鈴木 いいですね（笑）。
荒木 いや、女と男の間には礼節は……なくてもオレはね。だから男同士は礼節はなくちゃいけないんだよ。オレはこういう考えだから、ね。そこらあたりが、端から見ると魅力なんだけど、女は嫌がりますよ、うん。

鈴木 荒木さんの奥様は素敵ですね。

荒木 踏み込んじゃうのね。

末井 そう。

荒木 で……。

鈴木 この、写真集で初めて……。

荒木 うん。自分のものってさ、どこでも自分のものって思うからさ、そういうのあったでしょう。

末井 うん。夜中に電話が来たりすると、奥さんが出たりするでしょ、うちの。それでさ、二、三日あって、いづみさんと会うと「お宅の奥さんはバカだ」って言われて……。

荒木 なんだ、これじゃあ（笑）。

末井 延々と言われるとさ、僕も何かムカッと来るじゃない。

荒木 あるよなあ。

鈴木 そうですね……。荒木さんの奥様は素敵だなって思ったんですけど、この中の……。

荒木 ん、ああ、いいよいいよ。すごく……いいよいいよって自分で言ってんの、大変ですよ。

末井 そらあそうだよ。

鈴木 冷蔵庫開けられて嫌っていうのは、その、妻としての懐に足を踏み入れられたという……。

荒木 だろうな。

末井 生活だしね。冷蔵庫っていうのは。

荒木 生活に入り込んじゃいけないんだよ。ほかの、こう、恋愛とか何とかっつうんならいいんだ。結婚生活っていうほどだろ。結婚人生って言わないじゃない。結婚生活っていうのは……生活だから、結婚は。そこがね。だから、たとえば彼女の場合は、生活がなかったんだろ。

末井 ないね、ない。

荒木 きっと。その……彼と……アルトと。

鈴木 うーん。

荒木　生活がないんだよ、きっと。うん、と思うね。何度か来たねえ、頭から血ぃ出して、なんかね。「恥部屋」に。
鈴木　えー。
末井　二人で？
荒木　いや、一人で。
末井　ああ、一人でね、喧嘩してね。
荒木　うん。喧嘩して、カーッ、逃げて来たとか言って……逃げてきたったってな。
末井　それで、阿部薫には会ったことあるんですか。
荒木　ないんだよ。ないの。
鈴木　え、そうなんですか（笑）。
末井　ホント？　僕は一回あるんです。喫茶店で。いづみさんについてきた。
荒木　オレないんだよ。うちへは、ほとんどないんだよ。オレは見られてるかもしんないけど。そんでねえ、「写真欲しいわ」っていうから、オレ、プリント……でっかくプリントしてあげたんだけどね。すぐ破られたって言ってたよ。
末井　ああ、そうそう、なんかあった、僕読んだことある。
荒木　エーッ、嫉妬深いやつなんだと。嫉妬深いって変だけど、激しいやつなんだと。
鈴木　激しい（笑）。
荒木　激しい（笑）。
鈴木　激しいですよ。
荒木　激しいね。
鈴木　うーん。
荒木　そっちのほうの血もらったんだ。受け継いでる？
末井　どう、激しい人生？
鈴木　いや、私は平凡以下ですよ。
荒木　いや、なんか阿部薫の血じゃないの。
鈴木　今の時代って、はっきり言って個性が光ってるのって当然のようになっちゃってるから、もう平凡が平凡じゃないっていうか、どう言えばいいか分かんないけど、地味なのがかえって目立っちゃってるじゃないですか。だから、私もちょっと強烈になって目立たないと。

末井 でも、なんかちょっと変わったとこあるね。

荒木 あるよー。

末井 あるね。

荒木 うん。

鈴木 じゃあ、もっと変わった点を……。

荒木 殺気あるよ、殺気あるよ、大丈夫だよ。

鈴木 もっと変わった点を成長させて、みんなと紛れて分かんないようにしないと……。

荒木 うーん。

鈴木 どちらかっていうと傍観者趣味があるんで、私。

荒木 うーん。

鈴木 自分が主役になるよりも、見てるほうが楽で、おもしろいじゃないですか。

末井 うーん。

鈴木 すごい打算的かもしれませんけど。こう、ちょっと今しばらくは見続けようかなって。

末井 何を?

鈴木 まあ、いろいろなものを。自分が出るよりも見てるほうが楽でおもしろいんで。そういえば、これ(『ウィークエンドスーパー』)もう全部見させていただきました、あるものは。

荒木 これ、おもしろいでしょう。こんな、こんなの、こんな雑誌をね、末井さんは作ってたんだよ。

末井 なんの雑誌か分かんないじゃない、これ。エロ本でもないし、映画の雑誌でもないし。

鈴木 なんでしょうね(笑)。

荒木 全然いいよなあ。

末井 で、こういうのがね、やっぱりその当時売れてたわけだから。今これ売れないよ、出しても。だからそういういい、まあ、いい時代ですよね。

荒木 じゃ、あれ、やっぱりアレだよね。で、だからこれが今教科書になってんだろ。いろんな意味でのさ、たとえばすごく実践的な、雑誌作りの教科書。それとかたとえば、漠然とした生き方の教科書っていう……なんだよ。感覚が。ああいう、感じがな、うん。

☘

鈴木 この大瀧詠一のインタビューは私、おもしろいと思いました。

末井 ああ。

荒木 おお。

末井 結構くっついて行ってんだよなあ。やっぱり……坂本龍一にもインタビューしに行ったよ。

荒木 なあんだ、こう、男と並ぶといい女になんだなあ。ねえ。もてそうないい女になるじゃない。

鈴木 世の中の女性は男性がいなきゃ、いい女にならないでしょう。

荒木 まあな。まあなっつうかなあ（笑）。で、今だめだっていうのは、いい男がいないってことだな。

鈴木 でも、これは元気出ますね、おもしろいから（笑）。

荒木 だからさ、一種ね、今元気出るっつったじゃない。

鈴木 ええ。

荒木 今元気出ることを求めてんだよ。さっきの、たとえばいづみの、「あっ、クッ、やるぜ」って出るじゃない。それと、そのなんつうんだ、自分の衝動、自分の感情とかね、自分のことに忠実に生きるっていうことの、教えっつうんじゃないんだけど、気分だよ。たとえば……。

末井 なんかね、アナーキーな感じだね。

荒木 そう。要するに……。

末井 だから、荒木さんはアラーキーって言ってるけど、いづみさんもそういうとこあるんだよね。アナーキーなんだよね、おそらくね。

荒木　うーん。
鈴木　アラーキーっていうのは、アナーキーのあれですか。
荒木　そうそうそうそう。ちゃう、アタシの場合は、アナーキーじゃないから、アナーキーな要素がなきゃいけないってんで、アラーキーってしてんだよ。そういう、実は、保守だから（笑）。ちっちゃな、いたずらっ子だから。
鈴木　いたずらっ子でしょう（笑）。
荒木　そうそうそう、だからなんつうの、そのアナーキーになって、自分に忠実に生きるっていう……生きちゃった女……凄いなと思わせるわけですよ。
末井　うん。アナーキーっていうのは自分がムチャクチャになることだからね。
荒木　そうだよ。だから究極さ、自分をこう、殺すっていう……自殺っつうんじゃなくて……。
鈴木　わかりますよ。
荒木　自殺じゃないんだよ、自分を殺すっていう行為に、ちょっとこう、グッて、感じてんじゃないか。
鈴木　むしろ積極的な行為ですよね。自殺とは違った意味で。
荒木　そうそうそう。違うんです。自殺っつうと、ちょっと女々しいけど、自分殺したんだよ……ような感じをオレは受けたんだよね。なんかチョコン、チョコンって会ってて。そういうアレがあったね、うん。

☘

荒木　自分殺しのやつじゃないとね、小説は書けない。オレは愛《いと》しいからダメだよ。自分が愛《いと》しいから。
末井　荒木さんは、昔はずいぶん文章書いてたじゃない。
鈴木　それもなんか、ノリのいい文章（笑）。
荒木　そう、だからほら、要するにほら、戯作ですよ、な。戯作っつうのは、だからそう、照れちゃうから。陽気に、要するに「能天気になってよう」っていうあれ、逃げなんだよ。そういう真摯な人生に対しての……。真面目に対峙できないのね、死に対してとかさ、ヤだし。恐いっつうわけじゃないけど。

末井 だから、いつかポックリくればいいと思ってんじゃないですか。

荒木 そうそうそう。いやもう……やっぱりね、下は勃《た》ってないけど、カメラ持ってたとかさ。そういう感じでいきたいね。腹上死でもカメラだけは離さなかったとかさ。

鈴木 うーん。

荒木 そういう感じじゃないとさ……。最期は自分にレンズを向けたとかさ。逸話を（笑）。

末井 荒木さんはそうなのかもしれない。僕はでもね、あれですよ、もう最近覚悟できてる。もう、病気になって、ガンになっても大丈夫なの。

荒木 あ、そう（笑）。

末井 ガンになってどんどん……じわじわ死んでいくのも大丈夫なの。

鈴木 苦しそうですね、それはちょっと。

荒木 うーん……。

末井 いや、でも結構楽しいと思うよ。自分を観察するっていうのは。

荒木 いや、そうそう、そういうのは。そういう感じだと、だから、それはまあ、あるんだよ、やっぱり。だからいいんだよ。観察力ってあんの、実は。自分に対しての観察に照れてんのがアタシだから。実は、な。そんで私小説ってオレ言ってんだよ、写真を。ざまあみろ、と。ざまあみろ（笑）。

鈴木 なるほど（笑）。

末井 一番いい時期じゃない。

荒木 今日はそんな話するわけじゃなかった。なんだおい（笑）。いや、それは、そういうような感じは、鈴木いづみに通じるとこあんだよ。あるんだねえ。一種の。

オレはその暴力性がないだけでさ。要するに捨て身じゃないわけですよ。
鈴木 うーん。
荒木 彼女は捨て身だもん。
末井 それでね、鈴木いづみと阿部薫の関係って、どう……わかんないんですよ。なんなのかっていうのがね、あんまりわかんない。
鈴木 私もですね、実際、わかんないんですよ。阿部薫どころか、母親のことをあんまりよく知らない。わかんないっていうより……。
末井 ああ。
荒木 いや、阿部薫の一方的な熱愛だね、あれは。
鈴木 (笑)。
荒木 要するに、お袋がいなかったから、彼は。要するに、ガキじゃなくて……ガキまでもいかない、赤ちゃんだったわけですよ。絶対そうだね。オレ、彼女にちょこっちょこっと聞いたりとか……だってどうしようもないじゃない、態度が。そういうのは……。
――いづみさん、そういうふうに書いてますよね。母親がわりにされたっていう……。
荒木 そう。そういうあれでしょ。甘えですよ。あんなの甘えっ子だよ。だめですよ、惚れてる女、殴っちゃ。
末井 ああ。
荒木 すぐ前歯なくなったとかね、頭から血ぃ吹いて来たりする。で、神楽坂にオレ事務所持ってたから、「恥部屋」と称してたんだけど、そこにダーッと来て……。困っちゃうよ、血が流れてて、「おお、どうした、どうした、どうした、どうすんだ」(笑)。たまんないよ。だから、それはね、ダメです、うん。もうね、あの……致命傷ですよ。男がね、惚れた女をね、叩くっていうのはね、もう赤ちゃんです。ダメダメダメ。
鈴木 だから、大人になりたくないっていうのを、最後まで実行できた数少ない人だって思ってるんで……。
荒木 で、それをね、こう、アヴァンギャルドだとかなんとかね、カッコよくアレしちゃだめなんだよ。大人になる……まあ、もちろん少年とか何とかって、ずっとやってたから、ね、偉いとか。ピカソとかそういうふうに言ってたっけど、実はピカソはおじいちゃんの要素を持ってたんだから。

鈴木 ふーん。

荒木 ね、ね、単なる幼年じゃないんですよ。幼児じゃないんです。彼は、おじいちゃんの要素を持たない、赤ちゃんだから、ダメなんだ。それをね、みんなこう、カッコいいとか何とか言ったってダメですよ。それとね、今日は吹きたくないから吹かないとか、そんなもん芸術家じゃないんだよ、ダメだよ。そういうのをね、カッコいいとかね、言うでしょ、そういうこと言うからダメなんだよ。

鈴木 ライブハウス十回あるとしたら、一回しか出なかったんじゃないですか。

荒木 そうだよ、そう。出ないで約束守らないってやつは男の子じゃない。だから、そういうようなことをね、言ってあげないで、あれがカッコいいとかさ……。そんなことでトイレ行ってこんなこと（錠剤をのむ真似をする）やってるだろ、だめだよ（笑）。……ような気がしたんだよ、オレは付き合ってるとき。何であぁ……だから鈴木いづみのは、お母さんの偏愛ですよ、母となっての……だから母になっちゃったんだよ。だから、母と子じゃなくて、母と赤ちゃんとの関係みたいな……。

鈴木 大変ですね。

荒木 だったよ。

末井 近親相姦みたいなもんじゃない。子供が……。

荒木 そうだねえ。

末井 それで生まれた子供じゃない。

荒木 近親相姦の子だから大変だよなあ（笑）。

鈴木 まず、今二人が生きてたら、たぶん私は別居してますね、同じ都内で、わざわざ。

荒木 いや、ホントにどっちも生きてたら、最初の不良……「あづさ二号」じゃない「不良一号」とか、〇号だよ、今の。いや、十七になったときに、バットで叩いてんじゃないか、絶対。
鈴木 （笑）。
荒木 叩き殺してんじゃないか。
鈴木 かもしれないですね、耐えられなくて。
荒木 そうじゃなくて、アルトサックスで叩くとかさ。激しいぞ、きっと。
鈴木 ああ、鎌じゃなくて……。
荒木 うん。アルトサックスで殺したっていうのが、また事件になってね（笑）。
鈴木 斧じゃなくて、アルトサックス。それで阿部薫から、アルトサックスを奪ったときの表情見て楽しんでたりとか……。
荒木 そうそうそうそう、冷静にな、客観的に。でもやっぱりね、魅力あったんだろうね。「僕はアルトに……アルトサックスになりたい」とかさ、詩人じゃない。まずいよ、そんなこと言われたら。お、お、なんて思っちゃうだろ、女はな。うまいな、あの野郎（笑）。
鈴木 甘え上手ですね。
末井 なんかほら、あの人に対してのさ、ジャズ喫茶のママが、みんなさ、なんかこう……入れ込んでんだよねえ。
鈴木 入れ込んでるっていうか……。
荒木 そのころのアーパーなんだよ。ジャズ喫茶、あれが……。

☘

末井 いづみさんは、眉なかったよ。僕ね、いづみさんが化粧落としたときを何回か見てんだよ。
鈴木 え、そうなんですか。
末井 そうだよ。えっ、こんなにも違う人ってね、あんまり見たことなかったわけ。だってね、いづみさんの写真ってさ、視線が目にいくでしょ。でもここがだいたい、化粧落とすとないんですよ。

鈴木 うん、ないですね。

末井 いやあ、だからすごいよね、このメイクは。

鈴木 すごいですね。

末井 うーん、これは女装だね。

荒木 自分でやってたんだよ。男だったんじゃねえか。

鈴木 じゃあ、男性から生まれた数少ない国宝ですね、私は。

荒木 うーん、弱ったなあ。なんだろうねえ、どうやって魅力を言えばいいかわからないよね。すごくね。うーん。まあ、「獰猛《どうもう》な少女」とかさ、そういうようなね、うーん、いや、あんだよねえ。

末井 いやあもうね、よくね、会社にさ、いづみさん来るわけよ。会社ってのは一応社会だから、で、異様なものが来るわけですよ、非日常的なものが。やっぱりさ、まずいなあって思ってさ。

荒木 (笑)。

鈴木 でもなんか、よく高田馬場に押しかけてたっていう……。

末井 あづささんも一緒に来たことあるよ、小学校のときに。

鈴木 えっ。ああ、くちばしがどうのっていう……。

末井 小学校のときに、「唐変木」っていう喫茶店に連れてきて、それでね、「あたしはね、今末井さんと話すから、これから、あなたは外にいてください」っていうんで……。

荒木 出んの?

末井 そうそう。だから、僕と話してる間あづささんは外にね、立ってるわけ。喫茶店の入り口で。

荒木 すごいねえ。

末井 すごいでしょう。

荒木 すげえやつだなあ、そう。

鈴木 くちばしがどうのこうのって……。

末井　鳥のくちばしをつけてさあ。
鈴木　全然覚えてない。
末井　セロテープで張りつけてるわけ、こうやって。
荒木　あ、そう。
末井　そう。鳥になって来てるわけ。
荒木　すごいねえ、それは。危ないやつだな。
末井　それはものすごい、今でもヴィジュアルとして頭に残ってる。
鈴木　ホントに覚えてないし……。
末井　だって紙でこうやってね、こう、くちばしをこう、セロテープでつけて……。
荒木　いづみはなに、彼女がやらせたの。本人がやったの。
末井　え。だから、いづみさんがつけたの。
荒木　つけた。キエー……。
鈴木　阿部薫にランドセルしょわせたのと一緒ですよね、きっとそれは。
荒木　なに、阿部薫になに、ランドセルしょわせたの。
鈴木　しょわせて、吹かせてたんですよ。
荒木　あ、そう（笑）。これはまいったな。やっぱり小学生扱いしてたんだ、ねえ。ランドセル……。
鈴木　しかも、赤いランドセルなんですよ。女の子用の拾ったランドセル……。
荒木　あ、そう。へえ、すごいねえ。
末井　喜んでたんじゃないの、阿部薫は。そうでしょう。
鈴木　ええ。完全なマゾです。いやあ、絶対私は、マゾのような消極的なあれにはなりたくないですね。
荒木　マゾじゃなくて、魔女んなんなさい。
鈴木　ああ、いいですね。
荒木　うん。魔女の要素あるよ、やっぱり。殺気があるもんな。あのさ、ふと、聞くんだけど、ね。お母さんに対しての気持ちはどうなのかな。
鈴木　わたしは、彼女の親戚。
末井　客観視してんだよ。

鈴木　大客観視。
荒木　うん。
鈴木　で、つぎ二つ目。
荒木　客観視っていうのはどういうことだ……。距離。
鈴木　母ではなく、鈴木いづみ。
荒木　ほお、おませだねえ。八つぐらいだろう、そんときは。
鈴木　そうです。母としての鈴木いづみっていうのは、母親としての実感がないほど……。
荒木　ああ、「母」がなかったんだ。
末井　いや、ありゃないよ。くちばしだもん。
荒木　そりゃそうだけどさ。そう言っちゃ……。
末井　「あなたは外で待ってなさい」だなんて。ないよないよ。
荒木　だってそれ（笑）。
鈴木　二つ目。
末井　それはないよ。
鈴木　二つ目。
荒木　うん。
鈴木　わたしは、母親の死を引き止めることを望まれてたのをわかってたんですけど、助けることができなかったんで、わたしは犯罪者に……。
荒木　うーん、捨てたんだな。あなたが殺したんだ。
鈴木　ええ。社会的に裁かれる……。
荒木　だから、「やめてー」とか言えばよかったんだ。それを、こう見てたんだ。
鈴木　そうです。
荒木　おおっ。
鈴木　社会的に裁かれなかったのが、もっともな、私への裁き。
荒木　じゃあ、最初の親殺しじゃないか。渋い（笑）。
鈴木　彼女が、引き止められることを望んでたのはわかってたんですけど……一度はわたし、それを実行したんですよ。

末井　誰も引き止めない。僕も引き止めなかった。
荒木　あのね、鋭い。彼女は……彼女の行為っつうかね、必ず誰かを惹くような……。
鈴木　そうそう。
荒木　行為だったんだよ。
末井　僕だってもうヤだもん。
荒木　だからそう、大変なんだよ。そうやって、重くなっちゃうから。
末井　大変なんだよ。
荒木　だからね、必ずそう……そんで……そうか。オレも、うん、ちょっとある程度までアレいったんだけど、まあこう……辛いなあ、ってとこでガクッてなるじゃない。それで最後に、あなたに行ったんだよ。それを、あなたに行ったのに、あなたは、切ったんだろう?
鈴木　わたしを信じてたんですよね、どっかで。
荒木　だろう。
鈴木　だから一度は実行したんですよ。
荒木　うん。
鈴木　いくら何でも冗談やめてくれと。わたしもほんとに、本心から思って……。
荒木　いや、それはちょっとさ、言葉なんだよ。冗談じゃないからな……。
鈴木　そしたら、それを拒絶されて、「なんで止めるんだ」と。だからもう、彼女の望みどおりに、そのまま……と。
荒木　おませな、おませな（笑）。ねえ。キエー（笑）。
鈴木　だから近くにカメラがなかったっていうのが、ね。
荒木　そんなのなんか撮ることないよ。あなたの目がカメラになってんだから。
鈴木　一生……一生ね、忘れてはいけないと思って。
末井　暗い顔だったんだって。
荒木　暗かった?
鈴木　そうです。
荒木　そうかあ。そらまずいな、暗い顔は。オレは明るい顔しか知らなかったから。
鈴木 『私小説』の表紙より暗かったと思いますよ、ひょっとしたら。
荒木 うーん。あ、違う、それはさ、要するに衰弱……なんかの、たとえば愛とか、生きることに対しての衰弱だから、醜いだけでさ。まあね、自信があるときに、死の予感の自信があるのは美しいですよ、オレの表情みたいなのは。
末井 あれはね、そう全然悲惨じゃないよ。
荒木 うん、そうだよ。……そうか。なんか元気なかったか、死ぬときは。
鈴木 いやあ、もう三か月ぐらい前からその、もう「わたしは死んでやる、死んでやる」って……。
末井 「死んでやる」って言ってたよ。
荒木 あ、そう。
鈴木 そうでしょ。
末井 でもさ、それが冗談だと思ってたから、ほんとに死ぬとは思わなかった。
鈴木 その、意表をつくのが、あの人らしいじゃないですか、最後まで。
荒木 そうだねえ。
末井 うーん。
荒木 オレね、そのちょっと前にもう、会ったときに、「恥部屋」に来てさ、頭割れたり、アチャーと思ってるうちに、それと、指のことを報告……。
末井 足のね。
荒木 うん、足の。この……そいでさ、だからそんで、頭の血とおんなじ、指の血を見ただけなんだ、オレは。それ見て、アチャー……。
鈴木 その指をご覧に……。
荒木 まあ、そういう……んで、これ……まあ……これはもうダメだ、勝てねえ、勝てねえっていうんじゃないんだけど、どうなるかわかんない……つったら……もうちょっと経ってから、そういうことになったの。そしたら、あなたのな……冷たいっていう言葉じゃないけど、うーん……クールギャルっつうかさ……。

鈴木 もうね、仕方ない……と思うんです。

末井 だからね、クールに育てられたんじゃない。

鈴木 そうですね、ある程度。あんまり一緒にいる時間なかったし。夜、働いてたから。だから、自殺現場を見ることになったのは母親が生きてる間、母親を理解しようという努力をしなかった罰だと思ってますね、それは。

荒木 うーん、だから……。

鈴木 ほんとに死んでしまったっていう……。

末井 いやいや、理解しなくたっていいよ、そんな。

鈴木 ええ。

荒木 だって理解しようと思ったって、理解できないやつだったから、やっぱいいんじゃない。でも、すごいよ、これ。いざとなると、愛を裏切るとね、刺すようなタイプだから、気をつけないとな。やだな、わしゃ。

末井 大丈夫？

荒木 アタシにとっちゃ、愛なんてジョークだからね。なーんて言って（笑）。恋はコロコロ転がっている。

末井 愛はジョークじゃないよ。

荒木 アハハハハ。今、末井は違うんだ（笑）。

末井 愛は冗談じゃ……。

荒木 あ、ごめんごめん。すまない（笑）。

末井 愛は大事なもんだよ。

荒木 今の時点においてね、末井さんに「愛はジョーク」なんて言ったらね、大変ですよ。

☘

末井 鈴木いづみは大きかったね。

荒木 すごいね。

末井 ものすごいでかいよね、おっぱいがね。

鈴木 百センチ近くはあったんじゃないですか。

荒木 うん、今でいう巨乳、そういうあれだよね。重くてね、垂れかかり……だから、張ってたからいいけど、垂れかかるぐらい大きかったよ。でかすぎて。

鈴木 まあ、とにかく過剰なのは得意ですからね、彼女は（笑）。

荒木 うーん……。

——四分の一ぐらいは、イギリス系の血が入ってるという話が……。

末井 ああ、ホント。外人なんだ。

鈴木 白人ですよね。

末井 色が白いですね。

荒木 うん、そうね。

鈴木 じゃあ、私も……。

末井 じゃあもう、八分の一か、四分の一……。

鈴木 そうですね。

荒木 伊豆半島にね、あの、漂流したんですよ。白系ロシアの男が（笑）。……お母さんに聞いてごらんって言ったんだけどさ、白系ロシアのやつと、伊豆半島でアレしたんじゃないって……。伊東から出てきた樋口一葉なんだから……。そのころは、女の物書きの天才をオレは全部、樋口一葉って言ってんだけど……。五木（寛之）さんもそう言ってたんだもん。そういう、来たぜーって。そういう時期あったんだよ。

☘

荒木 撮りたい。ねえ。

鈴木 じゃあ撮ります。今。

荒木 いや、オレが撮るんだよ。いつかな。そうそうそう。そうだよ、そう、それも使うから。

鈴木 耳の中を撮ります？

荒木 そうそうそう。そらあねえ、パッとやってなんも写ってないと、コレは渋いんです。オレがやるから。「耳の中　写らなかった　ホタル飛ぶ」とかさ。

鈴木 あ、もう終わっちゃった。

荒木　いいんだよ。そういうのいいんだよ。うーん。似てんなあ。
末井　ねえ。
荒木　アートとか生きることにせっかちないづみとそっくりだ。あいつはねえ……ああ、「あいつは」って失礼だ。
鈴木　いや、あいつでいいですよ。
荒木　彼女は……。
鈴木　あいつでいいです。
荒木　生きることにせっかちだったの。
末井　そうだね。
荒木　で、自分の才能をどんどん出そうと思って、才能っつうか、才能とは彼女は言わないけど、なんかこう、どんどん速く、「ハア、ハア、ハア、早く出さなくちゃ」っていうような、女だったね。そういう激しい女だった。
鈴木　それ、そんなにあせるって……。
末井　でもね、死んだときは、ちょっと速度が鈍ってたから死んだんだなと思う……そんな感じはあるよ。
荒木　うん。あれはね、死ぬことをね、あのスピード感だったら死ぬことを飛び越えるかなあと思ったんだな。たとえば、ポーンって。好きだったのかね、彼のことを。もしかしたら……。うーん、一応、アタシが考えてるセンティメンタリズムだね。
末井　うーん。
荒木　飛び越えて、三段跳びで行けばいいよ、そんな……。

鈴木　ちょっと、髪の毛がなくなってしまう前に撮りましょう。
荒木　いやいや。
末井　そう、じゃこうやって。じゃあ、僕の手を……。
荒木　うん、だったらさ、「ヤッホー！」って……ヤッ

ホー、行け、おっ……（シャッターを切る）。そういうのいいんですよ。で、そういう流れがね。
鈴木 末井さんはしばらく髪なくならなそうですね。
荒木 いいから、んなこと。
末井 僕は白い。白いよ。
荒木 いいからいいから。こういう流れのことを、入れるのさ。いいかげんな写真とかさ……。
末井 録《と》ってんのこれ。だからテープ起こしが大変なんだ、長いから。
荒木 そういうの入れんだよ。そういうふうにしたほうがいいんですよ。
末井 そうそう、やっぱりライブ感って大事だよ。
荒木 そう。それをね、昔、昔、末井とやったのは、もう、何も……決めてないんだから。ライブ……。
末井 そうそうそうそう。
荒木 じゃあ今度あの女いこうぜっつって、そんでやった、な（笑）。そう。

鈴木　髪の毛がなくなんないうちにもう一枚（笑）。たぶん今年中になくなって……。

荒木　（笑）。セリフが悪いなあ。髪の毛がなくなるなんてそれはセリフが……「私のシャッターで髪の毛を緑にする」とか、そういうセリフ言わなくちゃ。

末井　でもね、あの、目上の人なんだから礼節をちゃんとね、わきまえなくちゃだめだよ。

荒木　礼節（笑）。

末井　自分よりもっと長く生きてる人なんだから。それをやっぱり尊敬しないとダメですよ。

荒木　オレが言うことを言うんじゃない。オレが保守でいくんだから、キミはアヴァンギャルドでいればいいの。オレが保守を受け持ったんだから（笑）。

末井　いや、ホント大事なことですよ。

鈴木　半世紀以上も長く生きていらっしゃいますからね、私より。

末井　うん。

荒木　そうそうそう。でもね、もっとしたたかだよ。見ると四十、五十にも見えるし。

末井　そうそうそう。

荒木　すばらしい。オレ好きだね。

末井　なんかね、年令不詳だよね。

荒木　あのね、好きだね。そう、そう、わざとこうやることも、好きだね。なんでそんな、わざわざ幼女みたいなことをやるの。

鈴木　いや、そうですよ。

末井　セックスはどうなの。好きなの。

鈴木　え。

末井　セックスは。あんまり好きじゃないの。

鈴木　まあ……。

荒木　いいとこついていくね（笑）。

鈴木　場に踏み入れないと思い出せないもんですね。

末井　場に踏み入れないと思い出せない。

鈴木　ええ。

末井 忘れちゃうんだ。
鈴木 ええ、私にとっては遠いイメージ……。
荒木 今までさ、たとえばさ、特定な男……セックスしたって、特定と思ってないでしょ。あなたのお母さんもそうだったよ。
末井 うーん。
鈴木 それすらわかんないんです(笑)。
荒木 あのね、うん、あの、セックスが、相手との対話とかなんとか思ってないからね……ってなかったと思う。で、なんで、あの、要するに最後……阿部薫との……ま、セックス関係じゃないいんだろうな。ここで言っとこう。愛の意地だね。意地です。
鈴木 意地の張り合い。
荒木 うん。
末井 ああ。
荒木 愛の意地だね。と、オレは見抜いたね。そんな感じがあったけどねえ。でも、それはカッコいいよ。カッコいいとは言わないけど、情けないっつうかねえ。意地っ張りはねえ……損するのさ。

末井　でもね、僕らもね、そういうとこあるわけ。世の中とうまくいってない人をなんかね、どっかに憧れがあるんですよね。うまくやっていけない人っていうの……何かこう……。

荒木　うん。それはね、それは初期の末井だよ。最近違うだろ。

末井　いやいや、今もあるよ。

荒木　あるの。

末井　うん、ある。

荒木　自民党、保守党じゃないの？（笑）。

末井　違うよ。

荒木　違う（笑）。

（二〇〇〇年八月八日、新宿にて）

荒木経惟（あらきのぶよし）

一九四〇年、東京都生まれ。一九六三年、千葉大学卒業後、電通入社。一九六四年、『さっちん』で第一回太陽賞受賞。一九七〇年、私家版『ゼロックス写真帖』、一九七一年『センチメンタルな旅　私家版』製作。一九七二年、電通退社。一九七八年、『男と女の間には写真機がある』（鈴木いづみを撮った「4グラムの青い砂」収録）、以後、精力的に写真集の出版を続ける。『東京日和』『荒木経惟写真全集　全二十巻』『荒木経惟文学全集　全八巻』、写真小説『俺、南進して。』（大坂の町を歩く町田康を撮影。その写真から町田康が小説を書く）。その他『人町』『ポラエヴァシー』など写真集は二百数十冊を数える。一九八六年に、鈴木いづみとの共著『私小説』を追悼版として出版。

末井昭（すえいあきら）

一九四八年、岡山県生まれ。高校卒業後、大阪の工場へ集団就職。上京してデザイン学校入学、デザイン会社勤務、フリーの看板描き、イラストレーターと転職したあと、セルフ出版（のちに白夜書房と改称）設立に参加。『ウィークエンドスーパー』（鈴木いづみが各界著名人とのインタビュー記事を連載）『写真時代』等の雑誌を次々創刊。一九八八年に『パチンコ必勝ガイド』を創刊する。主な著書に『素敵なダイナマイトスキャンダル』『東京爆発小僧』『東京デカメロン』『パチプロ編集長─パチンコ必勝ガイド物語』などがある。白夜書房編集局長。

対談

町田康×鈴木あづさ

非常に今の状況っていうのを
言い当てていて、
予見的だなと思います。

天才的な人って必ずそうなんですよね、必ずなんか障害があって、
その中で天才的な仕事をしてるんですよね。……町田

クリエートすることは美しいものだと、
ほんとうは思ってますけど。……鈴木

町田康氏は、鈴木いづみと夫の阿部薫を描いた映画『エンドレス・ワルツ』で阿部薫役、つまり鈴木あづさ氏の父親を演じている。また、鈴木いづみがこだわった「明るい絶望感」に共感し、以前、鈴木いづみの小説『タッチ』について、「むしろ最近の気分にすごくマッチしている」と語っている。この対談でも、鈴木いづみのエッセイの、現代を予見する面について指摘し、そういった予見性、あるいは鈴木いづみの文学の普遍性とはどういうものなのか、ということに話が及んだ。

☘

鈴木　芥川賞受賞おめでとうございます。

町田　ありがとうございます。

鈴木　それから母の本を雑誌などでとりあげていただいてありがとうございます。実は、母親の鈴木いづみのことを一番知らないのは娘の私なんです、ほんとに。だからおそらく、作品をよく読んでくださっている町田さんのほうがよくご存じだと思います、私より。

町田　最初に作品を読んだのって、じゃあ、わりと最近なんですか。

鈴木　そう、十八歳くらいですね。それから、文遊社さんのおかげで……。

町田　読めるようになったんですね。

鈴木　そう、そうなんですよ。

町田　僕も全巻揃えたんですが……。

鈴木　ありがとうございます。私は六〇年代、七〇年代を自覚した年齢として過ごしてないので、ほんとうにその空気というのが微塵もわからないんですが、町田さんはそのへんは……。

町田　そうですね、ぼくはぎりぎりだったと思います。

鈴木　自覚し始めた年齢が……。

町田　ええ。自分が音楽活動を始めたのが七八年ごろで、ちょうど阿部薫さんが亡くなったころから始まってるんですけど……でもやってる連中っていうのが年上が多かった……十六歳、七歳ぐらいから始めてたので……。だから一緒に行ったライブハウスとか大学のサークルとかには、やっぱりそういう七〇年代的な空気っていうのは根っことして相当ありましたね。だから、時代ってなかなか、こう画然と今から七〇年代ですよって、ほんと歴史的に考えると、わりと線で考えちゃうんですけど、面で切ったときは、いろんな変なもんが残ってる感じはしましたね。

鈴木　みんなよく、今の三〇代から四〇代以上の方は、六〇年代、七〇年代は、といって特定して話しますよね。それで、当時の風俗とかいろいろなことを年上の方からお聞きするんですが、私は七〇年代がどういう時代だったのかという詳しい説明を聞いたことがないので、具体的にどんな雰囲気の時代だったのか教えていただければありがたいんですが……。私は全然わからないので。

町田　そうですね。僕も、しっぽが残ってるっていうか、まあ歳が……。

鈴木　ギリギリ……。

町田　ええ。三十八歳なんですけど、だからちょうど入れ代わりで、八〇年代って、自分にとってはなんかとても空虚な時代だった。それで、そのまま……。

鈴木　空虚というのは、逆にいえば何でもあり、みたいな。

町田　そうですね、だから「エンドレスワルツ」っていう映画の最後の、鈴木いづみの述懐……なんか、おにゃんこクラブが流れてて、とても明るいんだけど、非常に空虚な感じがして、「自分としては、あんまりこの場所に居場所がないような気がするんだよね」、みたいなことを友達に言ってる感じっていうのは、非常によく分かります。でも逆に言うと、八〇年代ってなんかみんな、いけるんじゃないかと、希望があるんじゃないかっていうことで、結構無邪気に未来を信じてたようなところもあって……。

鈴木　鈴木いづみのような一見乾いてて、実はとても熱いタイプの人には、六〇年代、七〇年代のようないつまでも語り継がれるほど印象深い時代が合ってるとは思うんですけど、私なんかのような、ぜんぜん情熱もないし努力もしないような人にとっては、八〇年代的な、ああいうニュートラルな雰囲気が逆に自信の持てる観があるんですけど……。町田さんから見て、今の二〇代以下とか女子高生の街風景的な雰囲気でもいいんですけど、率直に言ってどんなふうにお映りになりますか。

町田 あの、めちゃくちゃにおもしろいと思うんですけど……。なんか、なんにもないぶんいいなと思うんですよね。僕は逆に八〇年代っていうのは非常に、個人的にも辛かったし、ちょっとどうしていいんだかわかんない時代だった……。

鈴木 あ、なるほど。あまりにもそれ以前が決定的すぎたんですか。

町田 いや、でね、逆にじゃあ何かあったのかっていうと、別に七〇年代がよかったからっていう年でもないんだよね。七八年ごろに始めて、「さあ、じゃあやろうか」って言ったとたん、なんかすべてが瓦解したようなのが八〇年代……。

鈴木 あ（笑）、じゃあ、一言で言うとがっかりっていうことですか。

町田 がっかりというわけでもないんですけど、なんなんでしょう……。だから、気がついてみたら、なんか全然「つまんない」っていう感じのほうが強かった。もうちょっと軽い感じの。

鈴木 軽いですね。確かにまあ、日常的なことですよね。

町田 だから、その……七〇年代がすごいよかったという人も、僕は、わりとバカにしてたようなところがあったんですよね。「結局、昔のことばっかり言ってんじゃん、こいつら」っていう……。

鈴木 そうですね、昔の栄光をひきずってるんじゃ……（笑）。売れなくなった女優が昔をひきずってるみたいな……。

町田　うん、そんな感じはありました。だからまあ、「俺は俺でやってくぜ、八〇年代だぜ」と思ってたらだめだったっていう、より辛い状況だったのかもしれない。

鈴木　……っていうのは、八〇年代をだめと言ってるわけじゃないと思うんですよね。何かわざとらしいガッツはまずいんじゃないかっていうことじゃないんですか。

町田　うん、そうなんですよ。だから七〇年代って、わりと……どうなんですかね、みんな、空気とトーンとしてはもっとシラけてた感じですよね。暗かったですよね。

鈴木　そうなんですか。なんか、みんな暗いのが好きだったんですか。なんか、歴史に語り継がれるほど有名じゃないですか、そのへんの歴史は世界的に。みんなそんなに暗かったり悲しかったりしたのか……。

町田　まじめだったんじゃないかな。だから、世の中に、なんか自分が関われるんじゃないかって、みんな漠然と思ってて、自分と世の中ってどっかで関係してるんじゃないかって、みんな真剣に思ってて……。まじめだから、関係してる以上、自分は何かしなきゃいけないんじゃないかって、たぶん思ってたと思うんですよね。でも実は関係してないんじゃないかっていうのが、今になってわかった。九〇年代終わって、二〇〇〇年になってわかって……。でも八〇年代っていうのは、それがどっちつかずの時代だったような気がします。何となく、自分が世の中に関係してんだけど、「別にいいじゃん」って、そのまじめな部分をとっぱらって、関係はしてるっていう安心感を持ちつつ、「俺は俺でエゴイスティックにやるぜ」っていうようなとこが多少はあったような……。「でも、本気にやる気になったら、また関係はするけどね」ぐらいのスタンスで八〇年代はいたんじゃないでしょうか。

鈴木　なるほど。

町田　……っていうのが、間違っているかも知れませんが僕の実感です。

鈴木　いや、そういうのっていうのは普通、間違ってるも正しいもないと思いますよ。まあ、正直にお感じなっているっていう以外に……。

町田 うん、そうです。感想です。

鈴木 いや、私は、率直に言って、時代を批評できるほど長く生きてはいないので、実は、この九〇年代や二〇〇〇年のこともまったく自信を持って批評できない……。

町田 うん、そうですね。同時代のことはわかりません。

鈴木 ええ。まあ、おそらく誰しも、今生きてる現在のことってわからないと思うんですよね。

町田 そう、相当の時間が経たないとわかりません。

鈴木 ええ。しかし不思議なのは、今、携帯電話を普通に握ってる世代の子が、鈴木いづみの作品を読んで受けてるんですよ、読者カードを見たりしてると。まあ……ある人たちは、今の女の子たちと当時の六〇年代、七〇年代の女の子たちは似通ったところがあるっておっしゃってたんですが、よく分からなくて、気になって、それで先ほど、時代についていろいろ質問をしたんですね。

町田 うん、うん。でも、どうですか、今、同年代の人と自分と比べてちょっと違うっていう感じはします？ 考えてることとか態度とか。

鈴木 同世代と自分？ いや……っていうか、あんまり同世代とは……。

町田 つきあってない（笑）。

鈴木 あんまり友達いないんです（笑）。比べる人がまわりに……。

町田 ……ということはやっぱり、多少違和感があるってことですかね、自分としては。

鈴木 わかんないですね。

町田 つきあってないっていうことは……。

鈴木 ……っていうか、つきあうきっかけがないだけです。めんどくさがりやで、腰が重いだけで。

町田 ああ、そうですか。ああ、なるほどね。たぶん、何かちょっと違うんじゃないかな、っていう気は多少したんですよね。

鈴木　いや、そんなことないとは信じてるんですけど（笑）。

町田　ああ、そう……なんか、あんまりはっきりものを言わないでしょ、今の人って。

鈴木　いや、それが腹立つんですよ。殴りたくなるし。でも、そんなつまらないことで、社会に裁かれるのもつまんないかな、という考えに変わって、まあ最近はちょっと大人になりましたけど。なんかはっきりものを言わないで、中途半端なその場しのぎのやさしさみたいなのが、今多くて、実際、ちょっとしか関わらないでも分かるんですよね、それだけは。たとえば約束をしたとしますよね。明日何時にどこどこ行くよって。それで明日の何時になるじゃないですか。連絡も全くない。そのまま流れてしまう。その場しのぎのやさしさほど残酷なものはないなっていうのが……。

町田　つまり、それは僕も思ったんですけど、その、なんて言うかな、ちょっと話は離れますけど、たとえば、相手にひどいことを、面と向かって言うっていうことは、相手に対して残酷なことですよね、基本的に……。

鈴木　ああ、基本的に……それは微妙ですけどね。

町田　で、まあ残酷だと仮定すれば、相手は怒りますよね、とりあえず。「お前、アホやな！」って言われたら、「何がアホやねん！」って怒りますよね、とりあえず。でも最近の人たちは、怒ってはならない（笑）、感情を、あんまりムーブさせてはならないと思いこんでいる。だから、感情をムーブさせない訓練ができすぎていて、何かこう、ひどいことを面と向かって言っても、言ったほうも相手が怒るだろうと思って言ってないから、けっこうひどいことも言えちゃうし、言われたほうも、すごく傷ついてるんだけど、内心は……ひどいことを言われて。でも、あんまり怒っちゃいけないっていうか、そこであんまり怒ると村八分にされるんで、あえて怒らないようにして、みんなニコニコ笑ってひどいことを言い合っている。でもお互い深いところで傷ついてるのに表面は傷ひとつない。

鈴木 それが腹立つんですよね。なんかもう気持ち悪いです、はっきり言って。でも、同世代に限らず、ずっと年上の人でもそういうことわかってない人もおそらくいると思うんです。

町田 そうです、今、みんなそうですね。

☘

――鈴木いづみさんの作品の特徴は、文体のせいでしょうか、どこを読んでも鈴木いづみさんの顔が見えてきます。町田さんの小説を読んでも、ちょっと似たような感じがしますね。この間、藤沢周さんと雑誌で対談されていましたが、かなり前から藤沢さんは町田さんの作品を高く評価をされてましたし、鈴木いづみさんの作品についても評価されていたようですね。ある程度、町田さんと鈴木いづみさんには共通しているところがあるのではないかと思いますが、ご自分ではどうお感じですか。

町田 ま、感覚的にはもう違うっていうか、全然違うと思います。しかし、考え方の、何ていうんでしょうか、バサっと斬っちゃうようなところがとても魅力的ですよ。この「語録」について思ったのは、いろいろあって、いちいち原典には当たってないんですが、小説の登場人物のせりふと小説の地の文……小説の中の会話じゃない部分ありますよね。それにエッセイ、日記とか手紙、これは実際に出したものですよね。手紙っていうのが一番、なんか本人の声っていうか、文章を作ってないぶん、一番考えていることがストレートに出てる気がして……。

鈴木 すごい母が大好きなお友達がいて、同じいづみという人なんですけど、その人にほんとによく書いてましたね。

町田 うん。で、手紙っていっても、さすがに文章としてはちゃんと成立してる手紙なんですけど、文章を飾ってないし、創作の都合上、思ったことを変形して出さなくていい分、ストレートに考えが出ている……。

鈴木　まさか自分が死んだ後、何年後かにこういうふうに出されるなんてこと考えて書いてないですもの。

町田　ええ。だから、考え方の原型として、一番ストレートに出ている。もちろんこの「いづみ語録」は、当然のごとくに編集をしてあるので、言ってることの意味とか趣旨とは、少し違うかもしれないいんですけど……ストレートな形で出てる断片の中に、鈴木いづみの考え方っていうか、鈴木いづみのある価値観みたいなのがあって、それがエッセイになったり小説になったりして変わっていく過程もまた、この中で見てくとおもしろいんじゃないかなと思いました。小説だと、自分はもうこんな馬鹿きらいだぜ、と言っているような馬鹿もあえて出さなきゃいけないわけで、だから、そのへんも興味あるところですね。読めば読むほど、どういうふうに変わっていってるのか……。

鈴木　まあ、乾いてる文体の形……表面的には乾いていいるけど、私からすれば、なんか生きてる感じがするんです、やっぱり。生きてるっていうのは生々しいっていう意味で。

町田　うん、うん。そうですね。とはいうものの、全体に、何ていうんでしょう……考えっていうか……「表現したいことは何ですか」なんてよく言われるけど、あんまりそういうことじゃなくて……。

鈴木　そういう問題じゃないいんですよね。

町田　ええ、なんかあるんですよね、必ず。核みたいなものがあって、そのことを常に、言おうとしてるんだけど、そこから派生するものもひとつあって、なんかうまく伝わってない感じもまた伝えたいといった部分もあって、なんか非常に……。「語録」って、だから普通、何かそこに人々は有意義な意味を見いだして、自分の人生の役に立てようとか考えたりするかもしれないんですけど、あまりこれ読んで、それ考える必要はないんじゃないかな。

鈴木　……っていうか、意図的なこう……わざわざ疲れる意図っていうものが抜けてるから、読んでてまあ、気持ちも楽になるんじゃないかって……。

町田　うん……。疲れる意図っていうのは、たとえばどういうことですか。

鈴木　まあ、意図的っていうことですよね。まあ、今、町田さんがおっしゃったような、「頑張っていかなきゃ」とか……。まあ、でも……今おっしゃったじゃないですか、あの……いろいろ。これをどう生きていったらいいのかの役に立てようって思わなくていいって、今おっしゃいましたよね。それが抜けてるから、とても、まあ読んでても楽になるっていうのもあるんでしょうね、きっと。

町田　そうですね。「死」について、っていうか、「生きること」と「死ぬこと」についてかなりのページが費やされていますが、やはり、二〇代のときにそういうことというのは、なかなか書けない。ところが、「生きること」と「死ぬこと」っていうことについて、すごく考えていますね……。

鈴木　なんかでも、私は、身近な人を亡くしたっていう実感が、もうだんだん、それもかなり早くなくなってしまいました。最初一日か二日ぐらいは（笑）、ありましたけど。やっぱショックだったし。あまりにも暗すぎて、雪も降ってて……余計に。まあ、でも今は、記憶としては残ってますけど、今の気持ちっていうか、私の中の状態で言いますと、「ああ、子供の頃、私の目の前で人が死んだな」って……それぐらい「鈴木いづみ」っていう存在が、まあ子供の私でさえ、なんかファンタジックな……。

町田　ああ……。

鈴木　遠くにいる人……遠くの人みたいで、だからホントの母っていうものがあまりわからないんです。普通、男の子、特に一人暮らししてる男の子なんかが、おふくろの味とか、そういうすごい実感じみたことを言うんですよ。私、それすらよくわかんないですよ。おふくろってなに？　みたいな……。

町田　普通は、目の当たりにしたものがあったら、あまり、もう思い出したくないとか、あるいは本を出したい、と言われても拒絶したくなりますよね。

鈴木　もちろん、逃げたい気持ちはずっとありましたけど……。死んだそのあとに写真撮ろうと思ったのも、ほんとはショックなんだけど……ショックでもう、目も向けたくなかったけど、逆に目を向けたくもないようなことを忘れてしまったら、この人はかわいそうだから、私が何も今まで母親に対して、してあげられなかったかわりに、一生忘れないために、写真を撮って……記録写真撮って、一生胸にしまっておこうと、そういう決意で、その……そんなこと思いついたんですけど、近くにカメラがなかったんで何もできなかったんですけどね。それだけが唯一の後悔で、それ以外はなにもありません。

町田　壮絶な話ですね。

鈴木　いや、まあ、でも、だんだん実感があせてきてるんで（笑）、まずいな、やばいなって思って……。ちょっと私の身を乗っ取られないようにと（笑）。なんかでも、小説とか読んでると冗談は好きだった人みたいですよね。

町田　うん、うん。

鈴木　その、小指を切っただとか、いろいろ……まあみんなが、作品そのものは読まないのに、目ん玉飛び出して、飛びつくような話、いくつかあるじゃないですか。

町田　うん、わかりやすいやつね。

鈴木　ええ。小指を切ったっていう話も、なんかその……愛の証ではなく、冗談でやっただけよっていう、その話を聞いたらもう、冗談でそこまでできるっていうのはもう、自分の母親っていう実感が余計なくなりますよね。ほんとに遠くのスターっていうか……。

町田　ああ、なるほどね。つまり、実際上の印象、質感っていうか、触った感じとかっていうよりも、そういう、一回こう、エピソード化されたものがたくさんあると、ついそっちのほうが派手だから、派手っていうかわかりやすいから、そっちに今の印象が集中しやすい。

鈴木　しかも、本質っていうのが、冗談をそんなに真面目にやる、生真面目すぎる人なんだなあっていう……。まじめな人がまわりにはあまりにもいないせいで、余計すごいなって思って。

町田　今、だんだん、そうやって年齢を重ねてきてるぶん、そうやって……。

鈴木　そうですね。そのぶんちょっと、まあ忘れてしまうという、申し訳ない部分もあるんですけど。でもほんとに驚いたのは、最初の一日か二日ぐらいです。ま、寝れば忘れるタイプなんで（笑）、基本的に……。

☘

――六〇年代から続いて、さきほどの七〇年代、八〇年代の状況をお話されましたけど、いづみさんは八六年に亡くなっていますが、その少し前ぐらいから非常に退屈だとずっと書いていて、七〇年代も退屈だったと書いているわけですね。

町田　うん。五〇年代、六〇年代は非常に良かったって、こう……なんかに書いてましたね。

鈴木　余計わからないですね、さかのぼりすぎて（笑）。

――退屈というか、伊豆から出てきて、モデルとかいろいろなことをやりながら、小説家として書くようになっていくわけですけど、非常に深い諦観みたいなものがずっとありますね。少し話がそれるかも知れませんが、先日の鼎談で、一緒に仕事をされていた荒木さん、末井さんの家にいって、いきなり冷蔵庫を開けたりとかするので、奥さんがとても嫌がる、という話をされてたんですけど……。

鈴木　そう、冷蔵庫を開けて嫌がるっていうのは、特に女性である妻としては、その……家に多く関わってる妻としては、その……。

町田　うん……。でも逆に言うと、その、「諦観」みたいなところで、僕、ちょっと今回いろいろ読み返して思ったんですけど、あの、諦観みたいなことの基調にあるのは、もっと若いときに、たぶん何かが自分の中にあって……何かよくわからないのですが……小説などだと、簡単な事件を作ってしまえば一番わかりやすいんですけど……もともとそういう人なのかもしれないけれど、なんか自分にあんまり興味がなくて、わりと基本的に自分を大事にしなくてもいいと、どっかで思っていて、それはでも、普通の人から考えると驚異的なことで、みんなやっぱりすごく、自分っていうのが一番大事で、なぜかっていうと、それは人間と言えども、動物である以上、自分を最優先にしないと絶滅してしまうというか、死んでしまうから……。今はそんなことしないけど、食べ物をみんなでほんとに分けるかっていったら、結構、極限的な状況になったら、ほんとは殴り合いに……今の日本の社会だったら、特にそうなる可能性は強いですよね。でもまあ、みんな「モラルで分けようぜ」っていうことでずっとやってきたわけですけど……。

鈴木　ただ、その「わけようぜ」って言って、まあ、ちゃんとわけますよね、もう、建前で。だけど、分けられて迷惑な人っていうのも（笑）、いるわけですよ。ほんとにいらなくて。

町田　「私はそういうのはいらないんだ、やめてくれ」って、ずっと思ってた人なんじゃないかなと思ったのです。だから、他人の家に行って冷蔵庫を勝手に開けるっていう振る舞いも、それは、本にも出てくるし、要するに「メチャクチャなやつだったぜ」っていうのはたぶんあると思うんですよね、冗談であろうとなんであろうと……。でもそれって、他人はすごいたいしたことって騒ぐけど、諦観から出発してる人生観をもった本人にとっては、全然たいしたことじゃなくて……。ただ時代背景に対して単純に反応してたというか、与えられた役割を演じてただけで……。たとえば今の時代だったら、自分の本質は全然変わらずに、非常に礼儀正しい人だったかもしれないし、全然違う印象だったかもしれないし、あるいは、当時の年齢で今いたとしたら、いわゆる神話っ

ていうか、伝説の部分はほとんどなくなるんじゃないかなって……。そんで、じゃあ、本人的に何か違うのかっていうと、たぶんなんにも変わんないんじゃないかなと思います。

☘

――いづみさんは、阿部薫さんのやっていたフリージャズを結構批判してますね。「エンドレスワルツ」という映画で阿部薫さんを演じられたわけなんですけど、あのときにはかなり阿部さんの演奏をお聴きになりましたか。

町田　ええ、もちろん聴きましたよ。

――今、昔のものもずいぶんＣＤで出ていますね。

町田　そうですね。今、ああいう音楽が受け入れられる土壌があるかどうかっていうと、なかなか厳しいですよね。

鈴木　あの、サックス吹かれたのは経験があって吹かれ

たんですか。

町田　いや、あれは吹いてる振りをしてるだけですから。

鈴木　え、そうなんですか。でも、実際に音は出してみたりしました？　その……握ったのをきっかけに。

町田　いや、だから撮影の一週間ぐらい前になって、サックスと、「やさしいサキソフォンの吹き方」っていう本を一冊もらって、「吹けるようになっといてください」って言われたんですけど……一応スタジオを借りて……。

鈴木　でも、まあ試しだけでも音出しは……。

町田　やったんですけど……自分でスタジオまで一人で行って。

鈴木　どうでした。苦しかったですか、やっぱり。

町田　すごい孤独でしたね。一人で一ページ目開けて、「持ち方」っていう写真見て、それを真似して……。こんなことが効果あるのか、こんなことでいいのかなって……。音はやっぱ出ないですね。まあ、一応は出ますけど、ちゃんとは出ないですよ。

鈴木　管楽器だから、ちょっと大変ですよね。もう、健康じゃないと、このへん（胸）が。

町田　あとやっぱり、本来ああいう吹き方をする楽器じゃ、たぶんないんだろうし、アンサンブルの中でたぶん……、楽隊っていうかね、あの、オーケストラみたいな中での役割は、また別です。

鈴木　（突然）お茶漬けにわさびをいれるとおいしいですか。

町田　おいしいですよ。あんまり固まりを食べると……よく溶かしたほうがいい。

☘

――阿部薫さんのファンといづみさんのファンと違うんですね。違うし、お互いに、阿部さんのファンは、いづみさんが阿部さんをスポイルしたみたいなことを言ったり、いづみさんのファンは逆に……。

町田　でも、それはお互いに……僕も読んでて思うんですけど、たとえば物書きの家にわりと破滅的なミュージシャンがいて、性格等含めていろんな問題があったとしたら、書いてる時間っていうのは確かに減ると思うんですよね。でも、それって、天才的な人って必ずそうなんですよね、必ずなんか障害があって、その中で天才的な仕事をしてるんですよね。なんか、それがなかったら、そんなに天才的な仕事をしてただろうか、と思ったら、実はあんまりしなかったんじゃないかっていう気がするんですよ。すごく順調に、すべて自分が創作に没頭できる状態だったら、あんまりやんないいんじゃないかなと思うんです。

鈴木　逆にだから、ああ、ムカつくな、というようなことがしょちゅうあったというふうに書いてるじゃないですか。そういうことがきっかけになって、何か書き始めるような……。

町田　うん、それは大きいでしょうね。そういうきっかけがもちろん書くパワーになったり、自分の表現のバネになってんのかもしれないし……。もうひとつあるのは、一人でいて、わりと自由だと、なんか、ある不本意なこととか、障害のような錘《おもり》がないと、自分の魂が浮遊してどこいっちゃうか分かんないようなところがあるんだと思います。二人ともそうだったというのは珍しいですが。

☘

鈴木　私、今すっごいムカついてるのは、読者カードとか見てると、勝手に私の住所を教えてくださいとか、目的の人は死んでるから私に会いたいとか、それに堂々と、私が身代わりだと言っているような無神経な人が多いんですよ。私は私で、鈴木いづみとは関係ないじゃないですか、全然。

町田　うん……。それいくつぐらいの人ですか。

鈴木　やっぱり若い人です。だからこの前、鈴木いづみ生誕五〇周年イベントっていうのをやったのも、それでもう気を済ませろ、っていうのがあってやったんですよ。

町田　ああ、そういうのあったの……。どういうイベントやったんですか。

鈴木　著名人との対談とか、コンサートとか。パフォーマンスとか。私はもうあれで気が済んだろうと思いましたけど……。

町田　まあ、そう親のことでいろいろ言われるっていうのは、なんかあんまり、普通でも気持ちよいもんじゃないだろうしね……。ただそれが有名人だったら、今の、日本の社会って、みんなあんまり何を基準としていいのかよくわかんなくなって、だんだん二世、三世の……、政治から芸能からスポーツまでこう……。

鈴木　鈴木いづみを追っかけたいがために私のとこに来るファンっていうのが、一番信用できないし……っていうのは、他人の迷惑を考えないっていう時点で私はもう軽蔑してるし、ほんとうに迷惑なんですよね。そんなに鈴木いづみを追求して本人を追っかけたいんだったら、首くって追っかけろよ、って言いたいわけですよ。

町田　まあ、この「いづみ語録」でも、自他の関係に対する言及っていうのが多いですよね。他人と自分の区別がついてない人とか、他人に対してベタっと存在を押しつけてくるような人が非常に困るっていうことを……。根拠なく甘えてくる人っていうのが今多いですけどね。

鈴木　「クーリーの娘」という作品に、鈴木いづみをひたすら追いかける女の子というのが出てきますけど、あれは、今で言うストーカーですね。

町田　……というか、そういう人っていうのは、生きてると追っかけないんですよね、わりと。死んだから追っかけるっていうのもあるんじゃないかな。

鈴木　ああ、かもしれないですね。

町田　なんかほら、没入する対象が欲しいっていうのがあるんじゃないでしょうかね……「いづみ語録」には、すごく、発言がわりと人間存在の本質的な部分に言及しているものが多いので、だから許容範囲が広いと言えば広い。

鈴木　許容範囲が広いのを裏返すと、だれにでもやさしい、イコールだれにでも冷たいっていう……。

町田　うん、そう。だから後者のほうだと思うんだけど、だからこそ前者にも見えるっていう……。

鈴木　特別に優しくしてる人がいない時点で、もう冷たいわけなんですよ。

町田　あ、そうですね。そこのところにこう、つい入ってきちゃう、と。自分を受け入れてもらえるんじゃないかっていうことはファンの中にはあるから……。で、あと、今いろんなこと言って欲しいという……息苦しいと言えば息苦しいんだけれども……。たとえば「いづみ語録」の中の「ルックスがわるいとか、才能がないとかいうひとは、ほんとに性質がわるい。」（笑）こんなことは今は言う人はいませんから。

鈴木　私はそのとおりだと思ってんですけど、みんなは、なんかそんなこと言っちゃまずいんじゃないかって……みたいなことをときどき言われるんですよ。

町田　普通の人がね。だからほら、そんなこと言っちゃいけないだろうって、言ったこと自体が問題化される……。

鈴木　じゃあ、「どういう根拠でいけないって言えるの」って聞いたら、ぜんぜん言えないわけで。実はそういう人も私がいないところで同じようなことを言ってんですよ。

町田　（笑）。

鈴木　ムカつきますよね。もう、昔だったら殴ってますよ。それは。

町田　うん……。あと、唐突ですけど、「時代」っていう最初に出てきた話ですが、これも「いづみ語録」に収録されている、「時代のせいにするのは、やさしい。実際、六〇年代より七〇年代のほうが、一口でいえば『時代が悪くなっている』のだし、これからはますますきびしい状況になるだろう。政治がわるい、などと簡単明瞭にいえない。」ここも大事ですよ、「政治がわるい、などと簡単明瞭にいえない」っていうのは、ほんとそのとおりですね。それから「大きな何物かが、わたしたちにおおいかぶさってくるにちがいない。それらのものは、テレビや雑誌や新聞やファッションという形をとって『家庭』にはいりこみ、そこで根をおろすだろう。目に見える敵ではなく、むしろあまい誘惑として映るさまざまなものが、わたしの価値観をかえ、支配するだろう。そんな気がしてならない。」っていうのは「幻想の内灘」の中の文章ですが、非常に今の状況っていうのを言い当てていて、予見的だなと思います。あと、まったく同感なのはリズム感で、「どうしてわたしはこんなふうにいいかげんなことばが吐けるんだろう。すらすらと口からでてしまうのだ。リズム感さえよければ、意味は二の次だ。テンポとリズムが問題なのだ。あとは全部、口からでまかせ気分しだい。」っていうのは、これは僕も（笑）、物を書くときにわりとリズムっていうのをまず最初に考えて、意味っていうのはあとから考えるっていうか……まあ、一応、影響があるのかもしれないんですけど、ほんとうにそのとおりだなっていうのが自分の書くものとの共通点ですね。

☘

鈴木　しかし最近、電車に乗ってて、広告で町田さんを見ない日ないですね。

町田　あ、そう、そうですか。なんか雑誌とか本が出たばっかりですから。

鈴木　一昔前は電車に乗ってて、広告で広末涼子を見なかった日がないように、このごろは町田さんの名前や写真、見ない日ないですよね。ああいう形で露出が増えて、ご自分の意識の中で何か変わったというようなことはありますか。

町田　ああ……。いや、芥川賞は新人賞なんで……。まあ年令は関係ないですけど、新人で普通の勤め人をやってたっていう人だったら、なんかあるのかもしれないんだけど、取材とかそういうことに関しては、若いときからやってるんで、まあ、数は多少増えたと思いますけど、ほかにはないですね。おもしろいのは、以前は、文盲であるべきパンクロッカーが小説を書いてるっていう感じの取材もあって、そのあたりの事情は鈴木いづみの経歴に近いものがあります。

鈴木　そうですね、ポルノ女優から……（笑）。私、思うのは、ほんとはロッカーとかパンクロッカーって文学的じゃないですか、それ自体。だから、当然の成り行きかもしれませんよね、ほんとは。

町田　文字だけ扱ってる人のなかには、ロックやってる人はもう、エレキで頭が痺れてバカになってると思ってる人もいて。

鈴木　そんな人、関係ないじゃないですか。

町田　（笑）。

鈴木　センスのいい理解者はいくらでもいるんですから。

――鈴木いづみさんの本を出したいと思ったのは、そこらへんが一つありますね。ポルノ女優が物書きになったということが前面にでて、作家としての正当な評価というのがあまりされてこなかったと思うんですね。あれだけの量を書いたということは、読者の支持があったということでもあるわけですから……。いづみさんは晩年、SFも書いていましたが、あれは一部の人には評価が高かったんですけど、それまでのSFの概念、仕掛けとか未来ものとかいうのじゃなくて、日常生活自体がSFだという感覚ですね。

町田　そうですね。それは眉村卓さんが書いてましたね。

――SFの可能性を広げたというか、ジャンルを超えた作品になっていると思いますが……。

町田　まあ、初期の入って行き方は、わりとまあ、比較的文学的なっていうか、こうちょっと重い、憂鬱な感じの文章ですが、中期以降の、わりと確立されたっていうか、ポップな文体っていうか、そういう部分のほうが、今の読者をたぶん引きつけてるんじゃないかと……。

——そうですね、軽みのある。

町田 軽みのある……でも、ほんとは一緒なんだけどっていうとこがなかなかわかってもらえないで……。軽みだと軽いと思ってしまうんですよね、みんな。

鈴木 じゃあ、そういう範囲でしか考えられない人の頭の中身のほうが、もっと軽いんじゃないですか。たぶんしゃれでいってるんですよ、自分のアレが軽いもんだから（笑）。

町田 だから、パッケージされて、提示されたものを、みんなそのまま素直にやらないとわかんないんですよね。

——作家としてデビューしたころの週刊誌に、いづみさんのお父さんとお母さんの話が出ている記事があったんですが、わりと文学少女として育てられたところがあるみたいですね。

町田 何か自分の明確なラインがいくつかあって、たとえばそれは、さっき話に出たある種の諦観みたいなことがひとつの太いラインだとすれば、もう一つは自分が他者との関係をどう考えているか、っていうことかもしれないし、もうひとつは、やっぱり音楽っていうことに対する自分のスタンスかもしれないし……。そういう、何か太いラインが三つか四つあって、わりと全て、それに沿って書かれてるような気がするんですよね、話の成り立ちも。だから、一つ一つがおもしろい、職業的な小説家が、筋を作って、波瀾万丈の奇想天外な話を作って、なんかまあ、みんな読者を飽きさせないように最後まで読ませることを書いてくっていうことではなくて、何か自分の中に三つか四つ、必ずラインがあって、それに沿った形のものしか出てこないっていう意味で、非常に純文学的な作家なんじゃないかなと思うんですけどね。だから、SFだとかは、単にジャンルの問題で、だからといって、ある特定の人たちとだけつきあって、そういう中でどうのこうのっていうことじゃなくて、何でも自分が書こうと思ったジャンルで書く……。まあ、あとは、やっぱり時代が追いついてなかった部分がたぶんあって、そういうやり方をしてると、スポイルされるっていうか、干されるっていうか、なんていうかその、なんかあんまり勝手にやっちゃうと、「なんかあいつはちょっと違うよな」みたいな、こう、ちょっと色眼鏡で見られる部分……そういうのは今でもあるのかもしれないけど……。そういうところで、時代的にちょっと不幸だったなという気はしますね。今のほうが、まだ状況は多少よいのかもしれません。

鈴木　ただ、今はもう、珍しいものがない時代になってると思うんですよね。それだけは、一つだけわかりました。

町田　うん、そうですね。すごい早いんですね、デビューが。早いっていうかまあ、時代に相当……今、もしやってたら、すごいもう、ベテラン、大御所の域に……。

鈴木　ただ、今一番、一番じゃないかな……二〇代の女の子にやたらと受けてるっていうのは、おそらくビジュアル的なものも（笑）、あると思うんですよ。自分の時代から遠い、あの特殊なビジュアルに惹かれるとか……。今、そういう影響もあって過剰になってるから……。過剰っていう点だけは共通してると思うんですよね。

町田　ああ、現代と？

鈴木　ええ。ただ、そんなに過剰になって疲れないのかしらって、私からすれば思うし……。

町田　疲れると思いますか。

鈴木　ええ、なんかめんどくさいこと嫌いだし……。ただ、私が今、掃除のバイトをやって普通に暮らしてるっていうのは、自分が音楽やったり、文章書いたり、何かやるより、傍観してるほうが、楽しくて楽だし……私が別にそんなことやんなくたって、いくらでも意欲的にがんばってやってる人なんて世の中に何百万も、何千万もいるから……（笑）。だから親と私は正反対ですね。

町田　そうやって生きていけなかったんだろうね。きっと。何にもない時代で……逆に。昔は自分は過剰で、周囲は貧しかったんだけど、今は自分がとても空虚で、周囲が過剰なんじゃないかな。

鈴木　だからもう、なんか「くだらねえ」と、逆に……。そういう感じがあるんですね、申し訳ないんですけど。だから「あ、くだらねえ」、なんか「そんなわざわざ」っていう。

町田　僕は非常に地味に暮らしているのですが、でも一日にゴミをとてもたくさん捨てていて、印象としては、自分は一日中ゴミを捨ててという印象で、ゴミを捨てるために生きていると思うくらいなんです。でも華麗な消費生活をしてるわけでもなくて、だいたい自分でゴミを捨てに行ってるぐらい地味な生活してんのに、なんで……。

鈴木　そうですか。私は一日中ゴミを集めてるんです(笑)。

☘

町田　インタビューで、「作家になってどうですか」と訊かれることがありますが、別に作家になろうと思ったことないし、もっと言えばミュージシャンになろうと思ったこともないし、まわりに肩書としてどう呼ばれたいかって思ったことは一度もないから……。

鈴木　当然の成り行きとして、そうなってしまったのは仕方ないじゃないかっていう感じでしょう。

町田　だからまあ、だいたい流れでそういうふうになったって言うと、「ああ、じゃあいいかげんにやってたんだ」みたいな、なんか……(笑)。

鈴木　努力せよって言い過ぎますよね。

町田　だから、なんかになるっていうことに対して、あんまり興味がない人っているんだけど、それに興味がある人は、興味がない人がいるってことを分かってくれない。

鈴木　それ、迷惑じゃないですか（笑）。

町田　で、あるとき、インタビューやって、ライターの人が来て、「町田さん、肩書は何ですか」って肩書にこだわるんですよ。僕は別の話したいと思ってたんですけど。

鈴木　私だったらこう答えるんですよ。肩書って肩に何か入れ墨を入れるってことですか、って。

町田　入れようかな。

鈴木　だって、そういう感じじゃないですか。

町田　そうですね。

鈴木　揚げ足とっちゃえばいいんですよ。逆にインタビュアーをからかっちゃえばいいんですよ。

町田　真剣に答えたんですよ。

鈴木　からかったほうがいいでしょう。そんな苦労することないと思うんですよね。これだけ忙しい方が……。

町田　うん。それで、彼の一番のこころのこだわりが肩書だったんですよ、一番のテーマが、彼の中で。だから「肩書もないのに、町田さん、なんなんですか」……肩書ないって言ったら。で、記事見たら、「肩書もなくやっているどうのこうの……」。肩書はいい、っていう話を二時間したのですが。

——いづみさんもそうでしたね。いろんなことをおやりになったけど、何かになりたいということはなかったように思いますね。

町田　あと、人にどう思われたいかとか、なんと呼ばれたいかっていう……僕なんかまだ悟れませんから、人の評価も多少は気になりますけど、でも、少なくともどう呼ばれたいかなんてどうでもいいんじゃないかと思いますよね。

鈴木　束縛するなっていうことですね。

町田　そうですね。だから、それについて聞かれても別にさしたる感慨はないんで……。便宜上のことなんですけどね、肩書なんて。たぶん、人間いちいち個別に対応してたら疲れるんで、人間をある程度分類して、「ああ、この人はサラリーマンだ」って思ってつき合ってると、とりあえず今まで付き合ったサラリーマンのファイルの基本のとこはそれで一応クリアーして、そこから、とりあえず積み上げた上で話ができるからいいんだけど、なんにもない、ただの素でこられると、いちいち人間的に全部ゼロから、「なんなんだ」って話じゃないけど、面倒くさいっていうか、不安だっていうところがあるのではないでしょうか。たとえば、普通の人がエッセイとか読んで、うしろに「学者」とか書いてあれば、「ああ、学者の文章だな」と思って読めるから、安心できるっていうか……。そういう意味で、多少、人の不安を取り除く意味はあるんだけど、そのことを目的とする必要はないと思います。

鈴木　鈴木いづみの本をきっかけとして、こうしてお会いする人も何人かいて、仕事は何ですかって聞かれるけど、肩に絵でも描くことですかって、分かっているけどからかっちゃうんです。うんざりしますね。

町田　聞かれますか。

鈴木　掃除屋ですけど。それで表面的には差別する人はいなかったけど……。世の中的に認められていない仕事で何が悪いの……。中にはいろいろ音楽とか演劇をやればいいじゃないのっていう人もいるんですよね。そういう決定的なファッショナブルなものにこだわる人って多いですね。

町田　でも、音楽や演劇をやってるやつっていうのは、僕のずっとやってた経験で言うと、別にだれもそれを職業だと思ってやってやってなかったですよ。つまり、そのことで金もらって、それで家賃を払って、っていうふうには、みんなあんまり……基本的に考えてなかった。

鈴木　やりたい人がやればいい話で……。

町田　そう。だから、それとは別に仕事があって、それは趣味というのとも少し違うんですけど、自分の人生そのものみたいなものとしてそれはあるんだけど、そんなことでは金になんないから、金になる仕事が別にあるっていう人がほとんどでしたよね。

鈴木　時間がとられるのは、そっちのほうが多いでしょう。

町田　バンドやってる連中なんかでも、バンドだけじゃ食えないから、バイトしたりとか。

鈴木　逆にお金が出るっていいますよね。

町田　だから、そういう意味で言うと肩書っていうのは非常に怪しい。一番怪しいのは詩人ですよね。詩で別にだれも食ってないんだけど、一応、詩人っていうことになってんで……。

☘

鈴木　真剣にやればなんでもいいのかってわけじゃないじゃないですか。

町田　たとえば営業だったとしますよね。「オレ、真剣にやったんだよ」って言って一億しか売れなかったやつと、遊び半分にやって百億売ったやつだったら、会社にとっては、百億売ったやつのほうが偉いんですよ。評価されるんですよ。「真剣にやったからいいじゃん」って言っても、会社的にはそれはだめなんですよ。ほかのジャンルでも一緒なんですよね、実は。真剣にやったのはおまえだけじゃなくて、それは単に、押しつけてくんなということ……。

鈴木　真剣なことってほんとうは大事なことだと思ってるんです。

町田　真剣にやるっていうことは、自分の問題で、他人と関わる問題じゃないっていうことなんですよね。つまり真剣なのは、自分に対して真剣、宗教のある国だったら神に対して真剣、日本だと宗教ないから、神に対して真剣ってのはまずないし、じゃ、思想に対して真剣かっていうと、思想なんて変わるから、そんな真剣になったってしょうがないし。

の世代に向けて、文化芸術の範疇で言えば、発信していくべき何かってのが積極的になくて、前の世代を否定するような動きってのがぜんぜんなくて、むしろ、肯定するっていうか、勉強するような姿勢で、たとえば音楽で言えば七〇年代とか、六〇年代のロックとか、八〇年代のテクノとかを勉強する姿勢で臨んでいて、それでリスペクトなんて言われると、バカにされてる気がするのですが。

鈴木　それは本人がいるところで否定しないっていうことではないんですか。

町田　奇異だったのは、ロックやってる、ちょっと芸能入っているような若い子が来て、カッコはパンクだし、腕や肩にいっぱい入れ墨とかしてんですよ。でもすごく前向きで、向上心がものすごくあるんですよ。

鈴木　いや、いわゆる本当にパンク系って言われる人たちって前向きですよ。

町田　いや、そういう意味で前向きだったら……。前向

☘

町田　今、人がみんな傷つかないように、傷つかないようにしている。たぶん、昔は、社会変革とかそういうことに自分っていうものを一回棚上げできちゃったけど、今、そんなのできなくなったから、まともに自分で全て受け入れるしかないから……。だから、話がオタクになるか、本当の自分の話になるか……「このカメラいいよね」とかいう話をするか、そんなとこにしか、外に自分をもってけない。「俺これ好きなんだよね」「何それ」みたいな……。昔だったら天下国家の話をしたり、思想哲学の話をしたり、自分から遠い話ができたんだけど、そんなものはもう全部粉微塵になっちゃって、そしたら自分の健康の話とか、ヨガの話とか、自分のほんのちょっとした気に入ったものの話ぐらいしかできなくて、そこで言っちゃうと、ほんとにまともに自分にきちゃうから話ができない。今の若い世代は、自分たちの世代から上

きっていう意味がもしかしたら違うかもしんないんだけど、その子は社会の中で出世をしようと思ってるっていう意味で前向きなんで……。でも入れ墨したりとか、パンクの格好したりすんのは、社会の中でうまくやっていかないためにやるんじゃないのって思いました。なんかそういうのが、頭から自分なんかの世代にはまだあって、

そういうことをやってる以上、社会の中でうまくやろうとは思ってないんじゃないのっていうのがあるんだけど……。それこそ、偉い人紹介してくれとか言うんだけど、そういうのに馬鹿野郎っていうためにやってんじゃないのって……。

鈴木 じゃあ、単なる社会のヒモになりたいだけですね。

町田 そう。あと、八〇年代にいろんなことを勘違いしちゃった人がたくさんいて、いわゆる機会の平等っていうのがある中で、ある程度先行した人たちっていうのはコネとか裏口とかを通過した結果なんだと強固に信じていて、そういうものがあれば、俺だって八百万枚売れるんだみたいに……。

鈴木 私はクリエーターとしてではなく、今の仕事の中でふつうに仕事をやっていくつもりなんです。クリエーターに私がなる必要はないんですよ。見ていて楽しいクリエーターなんかいくらでもいるじゃないですか。

町田 非常にいいことだと思います。

鈴木　やりたい人がやればいいんですよ。

町田　しかしながら、見ている視線というのは、ある意味で書く視線と重なる部分があると思います。話してて、見る視線というのを強く感じたんで、たぶんそれはものを書く人の視線だなと、僕の年齢だと思いますけど、それはまだわかんない。

鈴木　気質的にはクリエーターだという人がいたらそうかも知れないけど。実際の作業をしろと言われると……クリエートすることは美しいものだと、ほんとうは思ってますけど。

（二〇〇〇年八月十一日、東京・神宮外苑前にて）

町田康（まちだこう）

一九六二年大阪府生まれ。一九七九年パンクバンドINU結成、アルバム『メシ喰うな』でデビューする。その後、音楽活動のかたわら、映画「爆裂都市」（石井聰互監督）、「ロビンソンの庭」（山本政志監督）に出演。一九九二年、詩集『供花』上梓、一九九五年、「エンドレスワルツ」（若松孝二監督）で鈴木いづみの夫、阿部薫役で主演。一九九七年小説集『くっすん大黒』（第七回ドゥマゴ文学賞、第一九回野間文芸新人賞受賞）、一九九九年、写真小説『俺、南進して。』（荒木経惟との共著）など著書多数。二〇〇〇年『きれぎれ』で第一二三回芥川賞を受賞する。

鈴木いづみ書誌

［ ］内は初出年、掲載誌は、『鈴木いづみコレクション　第8巻』の年譜を参照してください。
表記のないものは書き下ろしです。

一九七二年（二十三歳）

『宣言―戦無派一〇〇人の思想と行動』（編者／田原総一朗・社会思想社）
喪失感の中で

一九七三年（二十四歳）

『あたしは天使じゃない』（ブロンズ社）
息を殺して／ナオミの夢［71年］／あなたの思い出［72年］／いとしのリユシール［72年］／ペリカンホテル［71年］／ボニー・パーカーは渇き死にした［71年］／喰って眠ってナニをして／燃える指［72年］／九月の子供たち

『愛するあなた』（現代評論社）
世の中、観念の一覧表［73年「働く母、未婚の母差別裁判に抗議する会」改題］／なんたるシリアス路線！［72年「中絶禁止法に反対しピル解禁を要求する女性解放連合」改題］／花咲く丘に涙して［72年「女の幸福について」改題］／幻の影を慕いて［71年「幻影としての肉体へ」改題］／…みたいなの［72年］／冗談コロコロ、シラミがピョンピョン［72〜73年］／…／暗転［71年］／踊り狂いて死にゆかん／火星における一共和国の可能性／こんなにあなたを愛してるのに／恋愛嘘ごっこ／ああっ！

一九七五年（二十六歳）

『残酷メルヘン』（青娥書房　帯文／五木寛之）

一九七六年（二十七歳）

『夢の中の女』（石川喬司・伊藤典夫編共著・KKベストブック社）
魔女見習い［75年］

『女が燃えて生きるとき』（榎美沙子他共著・光潮社）
ハイミスよガンバレ

一九七八年（二十九歳）

『女と女の世の中』（ハヤカワ文庫）
魔女見習い［75年］／朝日のようにさわやかに［77年］／離婚裁判［76年］／あまいお話［76年］／悪魔になれない［78年］／わるい夢［76年］／静かな生活［75年］／悲しきカンガルー／女と女の世の中［77年］解説／眉村卓

『いつだってティータイム』（白夜書房）
いつだってティータイム／乾いたヴァイオレンスの街［74年「今は昔、港町エレジー」改題］／ソフト・クリームほどの自由［74年「花の咲かない深夜族」改題］／疑似情熱のゲーム［74年「競馬はわが魂に及ばず」改題］／リリシズムは都会にある［74年］／公園はストリート［75年「公園に夕陽は映えなかった」改題］／うしなってきたもの……［74年「東京無宿に咲かない下町」改題］／だれもが変態になっている［74年「占いブームの徒花」改題］／ひとつの幻想のおわり［77年］／好きと決める／女優的エゴ［74年「特集・女性評論読切　女優の顔」改題］／幻想の内灘［77年］／わらいの感覚／きのうはきのう、あしたはあした／異性は異星人／カウンターのなかの荒野／ふしぎな風景

一九八〇年（三十一歳）――

『感触《タッチ》』（廣済堂出版）

一九八二年（三十三歳）――

『恋のサイケデリック！』（ハヤカワ文庫）

なんと、恋のサイケデリック！［82年］／なぜか、アップ・サイド・ダウン［80年］／ラブ・オブ・スピード［年月日不明］／契約［78年］／夜のピクニック［81年］／ペパーミント・ラブ・ストーリー［81年］　解説／亀和田武

一九八三年（三十四歳）――

『ハートに火をつけて！　だれが消す』（三一書房）

一九八六年（三十六歳）――

『私小説』（写真／荒木経惟・白夜書房）

「声のない日々」［70年］／「いづみでいろ!!」太田喜代子／「東京時代〝何も起こらない〟世代」／「戯曲　ある種の予感」［70年］／「最後の挨拶」見城徹／「天才は、忘れたころに、木から落ちる。」田家正子／「世紀末の女」荒木経惟（聞き書き・末井昭）／「鈴木いづみ・資料」藤脇邦夫

一九九三年――

『声のない日々』鈴木いづみ短編集（文遊社）

なつ子［78年］／夜の終わりに［69年］／声のない日々［70年］／女と女の世の中［77年］／なんと、恋のサイケデリック！［82年］／契約［78年］／ペパーミント・ラブ・ストーリー［81年］／苦力《クーリー》の娘［80年］

一九九六年――

鈴木いづみコレクション第1巻　長編小説**『ハートに火をつけて！　だれが消す』**［83年／三一書房版］（文遊社）解説／戸川純

鈴木いづみコレクション第3巻　SF集Ⅰ**『恋のサイケデリック！』**（文遊社）

第一部　明るい篇　なんと、恋のサイケデリック！　［78年『恋のサイケデリック！』ハヤカワ文庫版所収］／なぜか、アップ・サイド・ダウン［80年］／ラブ・オブ・スピード［年月日不明］

第二部　暗い篇　契約［78年］／夜のピクニック［81年］／ペパーミント・ラブ・ストーリー［81年］　解説／大森望

鈴木いづみコレクション第5巻　エッセイ集Ⅰ**『いつだってティータイム』**

（文遊社）

いつだってティータイム［78年『いつだってティータイム』白夜書房版所収］／乾いたヴァイオレンスの街［74年「今は昔、港町エレジー」改題］／ソフト・クリームほどの自由［74年「花の咲かない深夜族」改題］／疑似情熱のゲーム［74年「競馬はわが魂に及ばず」改題］／リリシズムは都会にある［74年］／公園はストリート［75年「公園に夕陽は映えなかった」改題］／うしなってきたもの……［74年「東京無宿に咲かない下町」改題］／だれもが変態になっている［74年「占いブームの徒花」改題］／ひとつの幻想のおわり［77年］／好きと決める／女優的エゴ［74年「特集・女性評論読切　女優の顔」改題］／幻想の内灘［77年］／わらいの感覚［78年『いつだってティータイム』白夜書房版所収］／きのうはきのう、あしたはあした［78年『いつだってティータイム』白夜書房版所収］／異性は異星人［78年『いつだってティータイム』白夜書房版所収］／カウンターのなかの荒野［78年『いつだってティータイム』白夜書房版所収］／ふしぎな風景［78年『いつだってティータイム』白夜書房版所収］　解説／松浦理英子

一九九七年――

鈴木いづみコレクション第4巻　SF集II『**女と女の世の中**』（文遊社）

女と女の世の中［77年］／魔女見習い［75年］／わすれた［77年］／アイは死を越えない［77年］／水の記憶［79年］／ユー・メイ・ドリーム［81年］／カラッポがいっぱいの世界［82年］　解説／小谷真理

鈴木いづみコレクション第2巻　短編小説集『**あたしは天使じゃない**』（文遊社）

夜の終わりに［69年］／声のない日々［70年］／悲しき願い［71年］／渇きの海［72年］／血いろの太陽［72年］／九月の子供たち［73年『あたしは天使じゃない』ブロンズ社版所収］／歩く人［72年］／郷愁の60年代グラフィティ小説　勝手にしやがれ！［77〜78年］／なつ子［78年］　解説／伊佐山ひろ子

鈴木いづみコレクション第7巻　エッセイ集III『**いづみの映画私史**』（文遊社）

いづみの映画私史――小学校時代、本は読まずせっせと映画館に通った／『痴人の愛』というタイトルに悩んだのは、十歳のときだった／女優で〝いなかっぽい〟というのは大変なことだ／あらかじめうしなわれた「青春」のすがた／映画と色彩についての雑談／メロドラマ？　もちろん好きよ／東急名画座のゴッドファーザー／十年に一回のESP《エスプ》／誰と映画を見るか／映画を見なかった夏／「日常」をかんがえさせるSF／死んだ男がのこしたものは／アホらしい女性映画／ディーン、あなたといっしょなら――／もっと夢中になれる青春映画ってないのかしら!?／時と共に去りぬ／超能力か精神異常か？／グッバイ・ガールはやめようか／Jという女／映画音楽など…／少女マンガ百冊の威力／男の子はみんなかわいい／カル・エルのその後は？／無神経は女の美徳／とにかく心配させる日本映画／ほかの顔が見たい／怒り狂う毎日／ノヴェライゼーションを読んでみる／変質者になりそう／ヒロミからハルミへ［78〜80年］

いづみの映画エッセイ——コカ・コーラＵＳＡ　ヨーロッパの前衛映画［71年］／犯罪者的想像力の男〈映画に見る私のフェティシズム〉［70年］／斎藤耕一における男と女　ロマンチックなんだなァ［73年］／自らの中で完結する行為〈愛のふれあい〉の投げかけた波紋［72年］／〈きれいなお嬢ちゃん〉という名の中年男を〈悲しみのオカマのバラード〉［70年］／うわさのあの子［73年］　解説／本城美音子

鈴木いづみコレクション第6巻　エッセイ集II『**愛するあなた**』（文遊社）

どぎつい男が好き！——わたしの性的自叙伝［70年］／あまいお話［71年］／世の中、右も左も、オカマだらけじゃござんせんか［72年］／花咲く丘に涙して［72年「女の幸福について」改題］／「気持ちがいいかわるいか」考える必要はないのだ［74年］／ああ、結婚！［74年］／どぎつい男が好き！［77年］／もてる男の条件　鈴木いづみのミーハー通信［79年頃］

だめになっちゃう——だめになっちゃう…　八月十五日の日記［69年］／「他人」の幻影、あるいは幸福論——マリィは待っている［71年］／徹底的に自分にこだわって、考えのふくらみを追求　一人遊び［不明］／一日は長い、だけど［72年］／喪失感の中で［72年］／ああっ！［73年『愛するあなた』現代評論社版所収］／変態だらけ［74年］

踊り狂いて死にゆかん——鈴木いづみの『あきれたグニャチン・ポルノ旅行』記［71年］／演劇は時代を救えるか？　ナンシーより愛をこめて［71年］／いづみの三文旅行記——アムステルダムより愛をこめて——［71年］／踊り狂いて死にゆかん［73年『愛するあなた』現代評論社版所収］／オノ・ヨーコとキャロル——憂鬱な時代のへたなサブ・カルチャー——［75年］

恋愛講座——Love Letter を書く　つけ文が最高／男と暮らす法　恋がおわってから／男と別れる法　愛しながらの別れなんてインチキです［76年］

いづみの甦る勤労感謝感激——ホモにも異常者はいる！／色情狂になってもいいのは美人だけ［80年］

普通小説——苦力《クーリー》の娘／実録・仁義なき未亡人／よろしく哀愁／夢みるシャンソン人形／うちへおいでよ、あたしのおうちへ／「哀愁の袋小路」なのよ。［80年］　解説／青山由来

一九九八年——

鈴木いづみコレクション第8巻　対談集『**男のヒットパレード**』（文遊社）

男のヒットパレード　対談／インタビュー／エッセイ

ビートたけし「テレビ局の陰惨」［81年］／坂本龍一「GRASS-HOPPER」［81年］／田中小実昌「早く大人になりたい〝ガキ世代〟の異色作家」［71年］／楳図かずお「エレクトリック・ラブ・ストーリィ」［80年］／近田春夫「ハーフ&ハーフ」［80年］／嵐山光三郎「ボロを着てれば心もボロだ」［76年頃］／岸田秀「ミもフタもない。」［81年］／亀和田武「涙のヒットパレード」［81年］／眉村卓「ＳＦ・男と女」［77年］／荒木経惟「アラキさあ～ん　アラキ・キョウカタビラ？」［82年］／阿部薫「阿部薫のこと……」［79年］

女のヒットパレード

佐藤愛子「まな板に足をのせ、包丁を一閃《いっせん》！　骨まで斬れたわ」［74年］／浅川マキ「すてきな中年——マキ」［75年］／「人の気も知らないで」

インタビュー by 枝口芳子［73年］／凄絶！　鈴木いづみ 愛憎の夫婦生活を綴る!!［75年］
書簡　いづみからいづみへ（金子いづみへの手紙＝80年5月5日〜86年1月25日）
スチール写真　ピンク女優・浅香なおみの頃［70年］／暗転［71年］／ある種の予感［70年］／生きることのかなしみ　太宰治『ヴィヨンの妻』［77年］／透明な鏡　川端康成『雪国』［77年］／退屈で憂鬱な十年　栗本薫『ライク・ア・ローリングストーン』［83年］「森は暗い」「暁《あかつき》」「少年のいたところ」「しのび寄る時間」［64年］／「分裂」［64年］／「いずみの頃・三景」佐藤眞一／「彼女と私」鈴木あづさ／年譜／書誌／執筆者・対談者他紹介　解説／吉澤芳高

一九九九年――

『いづみの残酷メルヘン』（文遊社）
東京巡礼歌［71年］／『残酷メルヘン』［75年］（青娥書房）
『タッチ』（文遊社）
『感触《タッチ》』［80年］改題（廣済堂出版）

あとがき

鈴木あづさ

わたしが母である鈴木いづみという女性と暮らしたのは実質一年半だった。そのせいか、今でも彼女が母という実感がない。父の阿部薫も鈴木いづみもわたしにとっては遠いスターのように感じられる。母のエッセイに、親子も他人と書いてあったが、それとは違った意味で、わたしは他人のように二人をよく知らない。

しかし、普段からやはり気になってはいたので、子供として何もできないけれど、せめて少しでも二人を知ろうと思い立ち、当時の知り合いの人たちにお会いして、いろいろと話をうかがい、それはそれなりにおもしろかったけれど、やはり二人は遠い人のままだった。

最近になって二人のことを知りたければ、結局、作品と直に向き合うしかないと気づいた。

　この何年かの間、この二人のアーティストの作品に時々ふれてきて思ったことは、二人には共通点があるということだった。それはフリージャズも文章も、これらはなに一つとして創ってはいないというか、創っているようには感じられなかったことだ。何かを創る以前に、それぞれに大きく実在する恐いくらいのエスプリがグロテスクにそれもすごくリアルに映っていて、私は直視できないことが何度もあった。

『ハートに火を……』は、わたしが小学生のとき、「これは本当のハナシよ」と母が言っていた。当時の私は意味もよく分からず、大人用の本を読んでも、字を追うのが精いっぱいで、わからない漢字は「△○×……」とテキトーにやっていた。

〝本当のハナシか……まあいいや、よくわからんけど〟

　母と暮らしていた当時は、あらゆる意味で生活に追われていた。経済的には、母がいちおう管理していたので、わたしにはその種の苦労はなかったといってもいい。わたし自身は、いつもあまりに先の見通しがない、そしてほとんど笑顔のない家での毎日をこなしていくことに追われ、二人とも精神的余裕を失っていた。

鈴木いづみの死については、いろいろなウワサがあるんだとか、ないんだとかってゆー話を耳にする。それに対する正直な答えとしては、そんなのどーだっていいじゃん！って感じだ。鈴木いづみの作品を読みたい人は読めばいいし、阿部薫の音楽を聴きたい人は聴けばいいと思う。でも私も少々大人になったので、鈴木いづみを心から想っている人に彼女が死んだときの話をするとしたら……少し控え目になるが、あの時の心情を告白する。本当の話だ。このことについては、もう書くつもりはない。

彼女はその日になるずいぶん前から「私は死ぬ」とか「死なない」とか言っていた。細かい理由なんて本人にしか分からないし、もしかしたら理由なんてなかったのかも知れない。子供だったわたしの精一杯の観察眼で見たかぎり、母はもう、役に立つとか立たないとか、大事なことだろうとささいなことだろうと関係なく、何に対しても超クソまじめだったように思う。それらを含めて、いろいろなことに力尽きたのだと思う。

そして、その時が来て、ついにわたしは目のあたりにした（ときどき、いろいろな方の文章で『子供が眠っている間に、パンティストッキングで……』というのを見かけることが多い。でも、私はきちんと起きて、見ていた)。

前々から予感はしていたものの、あまりの驚きと冷めた気持ちが相半ばした子供のわたしは助けることができなかった。ついに来たか、と長い時間、パンストで自らを断つ母を見送り続けた。

今でももちろん、あの時は殴られてでも助けるべきだったのか、あのままでよかったのか、どちらが結局本人にとってベターだったのかを考えることが多くて、気が狂いそうになる。そして、最近になって、一生、母とあの時の死を忘れずに受け止め続けることが、わたしにできることであり、大切なことなのだということが、はっきりと見えてきた。


鈴木いづみは作家です。彼女の作品をこれから読もうという人も、読み慣れた人も、本書に掲載されていることばの音を楽しんでくだされば幸いです。

そしてこのわたしは、鈴木いづみと阿部薫の間に生まれた子供であり、それ以上でもそれ以下でもないのです。何かを期待されてた方も少しいらっしゃるかも知れませんが、今のわたしは単なるフリーターです。それでは……。

鈴木いづみ

一九四九年七月十日、静岡県伊東市に生まれる。高校卒業後、市役所に勤務。一九六九年上京、モデル、俳優を経て作家となる。一九七三年、伝説となった天才アルトサックス奏者、阿部薫と結婚、一女をもうける。新聞、雑誌、単行本、映画、舞台（天井桟敷）、テレビなど、あらゆるメディアに登場、その存在自体がひとつのメディアとなり、七〇年代を体現する。一九八六年二月十七日、異常な速度で燃焼した三十六年七カ月の生に、首つり自殺で終止符を打つ。『鈴木いづみコレクション　全八巻』『鈴木いづみセカンド・コレクション　全四巻』『いづみの残酷メルヘン』『タッチ』（いずれも文遊社発行）など著書多数。

いづみ語録

二〇〇一年一月二十五日　初版第一刷発行
二〇〇六年九月二十五日　初版第二刷発行

著　者　鈴木いづみほか
編　集　鈴木あづさ＋文遊社編集部
発行者　山田健一
発行所　株式会社文遊社
東京都文京区本郷三―二八―九　〒一一三―〇〇三三
TEL・〇三―三八一五―七七四〇
FAX・〇三―三八一五―八七一六
郵便振替・〇〇一七〇―六―一七三〇二〇
URL・http://www.bunyu-sha.jp/
印刷・製本　株式会社シナノ
乱丁本、落丁本は、お取替えいたします。定価は、カバーに表示してあります。

ISBN4-89257-035-4

Catalogue of books

ブコウスキー・ノート
チャールズ・ブコウスキー／山西治男訳

「好きなことを何でも書ける完璧な自由があった」というLAのアングラ新聞の連載コラム集。ブコウスキーの原点

本体価格／二五二四円

メタフィクションと脱構築
由良君美

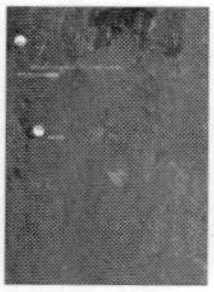

初の体系的メタフィクション論。バーク、ド・マン論他所収。対談／井上ひさし、河合隼雄、山口昌男　解説／巽孝之

本体価格／三三九八円

セルロイド・ロマンティシズム
由良君美

ドイツ表現派、シュミット、寺山らの作品を記号学など広汎な知識で読み解く、分析的映画批評　解説／四方田犬彦

本体価格／二五二四円

サーカス　そこに生きる人々
森田裕子

サーカスの新しい動きを追ってフランスの国立サーカス学校へ。アーティストとの交流を通して迫るサーカスの魅力

本体価格／二七一八円

サーカスを一本指で支えた男
石井達朗

サーカスで何があったのか。元団長、川崎昭一が語る痛快・波瀾の五十年。サーカス界初のインサイド・ストーリー

本体価格／二三三六円

冬の猿
アントワーヌ・ブロンダン／野川政美訳

仏名画『冬の猿』原作。中国での戦争体験を夢想する男と闘牛士の情熱に憑かれた男の世代を越えた友情を描いた、哀感漂う名作

本体価格／一九〇〇円

鈴木いづみ 1949〜1986

あがた森魚　荒木経惟　石堂淑朗　五木寛之　加部正義　亀和田武　川又千秋　川本三郎　見城徹
高信太郎　小中陽太郎　末井昭　鈴木あづさ　田口トモロヲ　田中小実昌　近田春夫　中島梓
萩原朔美　東由多加　巻上公一　眉村卓　三上寛　村上護　矢崎泰久　山下洋輔　他

モデル、俳優、作家、阿部薫の妻。サイケデリックに生き急ぎ、燃え尽き自殺した伝説の女性を38人が語る異色評伝　付〈詳細年譜〉　本体価格／二四二七円

阿部薫 1949〜1978　増補改訂版

相倉久人　浅川マキ　五木寛之　梅津和時　大島彰　大友良英　小杉武久　近藤等則　坂田明
坂本龍一　菅原昭二　副島輝人　立松和平　中上健次　灰野敬二　原寮　PANTA　平岡正明
藤脇邦夫　本多俊之　三上寛　村上護　村上龍　山川健一　山下洋輔　吉沢元治　若松孝二　他

伝説に包まれ、29歳で夭逝した天才アルトサックス奏者の生と死とその屹立する音の凄まじさを66人が語る異色評伝　付〈詳細年譜〉新発掘インタビュー収録　本体価格／三五〇〇円

声のない日々

鈴木いづみ短編集

処女作『夜の終わりに』から、女流SF作家として期待を集めたSF、後期小品を収録。速度を追い抜く者の煌きを映す傑作短編集　本体価格／一九四二円

いづみの残酷メルヘン

鈴木いづみ

心と身体を傷つけ合いながらさまよい続ける少年、少女。やがて愛の幻想に訣別し、残酷な現実に立ち向かう。「東京巡礼歌」収録　本体価格／二〇〇〇円

タッチ

鈴木いづみ

恋愛ゲームも終わり、「失恋しても、空はきれいね」と透き通った明るい絶望感に辿り着いた若者たち、いつまで遊んでいられるか。　本体価格／一九〇〇円

Catalogue of books

生きる速度を上げてみようかな。

全巻カバー写真／荒木経惟

鈴木いづみ／1949年７月10日、静岡県伊東市に生まれる。高校卒業後、市役所に勤務。1969年上京、モデル、俳優を経て作家となる。1973年、伝説となった天才アルトサックス奏者、阿部薫と結婚、一女をもうける。新聞、雑誌、単行本、映画、舞台（天井桟敷）、テレビなど、あらゆるメディアに登場、その存在自体がひとつのメディアとなり、'70年代を体現する。1986年２月17日、異常な速度で燃焼した36年７カ月の生に、首つり自殺で終止符を打つ。

「速度が問題なのだ。……どのくらいのはやさで生きるか？」

第5巻 エッセイ集Ⅰ いつだってティータイム 解説／**松浦理英子**

「ほんとうの愛なんて歌の中だけよ」リアルな世界を明るくポップに綴るエッセイ集

本体価格／一七四八円

「帰っていくおうちがない。生きていても死んでいても、誰も気にかけやしない」

第6巻 エッセイ集Ⅱ 愛するあなた 解説／**青山由来**

男・女・音楽・酒・ドラッグ。酔ったふりして斬り捨て御免の痛快エッセイ集。初の単行本化（三篇を除く）

本体価格／一九〇〇円

「忘却してはいけない。決して。それがどれほどつらくても。でないと、もう歩けない。……遠すぎて」

第7巻 エッセイ集Ⅲ いづみの映画私史 解説／**本城美音子**

宿命のライバルであり、宗教でもあった阿部薫の死、その不在による絶望ゆえに輝きを増した傑作映画エッセイ集 本体価格／一九〇〇円

ビートたけし「あたらしい感覚のひとと、はなすのはすごいすきだ」坂本龍一 田中小実昌 楳図かずお 近田春夫 嵐山光三郎 岸田秀 亀和田武 眉村卓 荒木経惟 阿部薫 70年代に狙いをつけた男たち――みんな〃いい男〃になっていた！

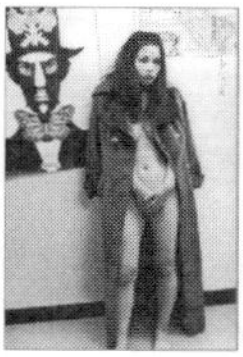

第8巻 対談集 男のヒットパレード （詩・戯曲・初期作品・写真・書簡・年譜・書誌他収録） 解説／**吉澤芳高**

十五歳のときの作品（詩四篇、小説）、ピンク女優・浅香なおみ時代の写真、自殺直前までの六年間の手紙など初公開資料収録。本体価格／二三〇〇円

全巻セット［本体価格／一五三八三円］

Art book collection

羈旅《きりょ》
藤田満写真集

自家製の大判超広角カメラを用いて静止描写につとめた。そして名所も知る人のいない町も普段の風景の素顔を写した。（藤田満）

B4判横開き大型本

本体価格／一二〇〇〇円

キマイラ
ホリー・ワーバートン写真集

【ホリー・ワーバートン】一九五七年、イギリスのエセックスに生まれる。写真を中心に、フィルム、CGなどを手がけるマルチ・アーティストとして活躍中。

その耽美的な作風で知られる著者の第一写真集。聖性とデカダンスの錬金術的融合。エッセイ＝林巻子、B4変形判

本体価格／八五四四円

だれにでもできるガラス工芸
由水常雄　NHK趣味百科講師

ダイヤモンド・ポイント／サンド・ブラスト／グラヴィール／カット／バーナー・ワーク／エナメル絵付け／パート・ド・ヴェール／モザイク・グラス

絵付けや彫刻から、溶かしたガラス粉を自在に扱う造形表現まで。初心者を対象に、手軽で多彩な技法を丁寧に解説　本体価格／二五二四円

踊る目玉に見る目玉
アンクル・ウィリーのザ・レジデンツ・ガイド

アンクルウィリー編著

湯浅学監修、湯浅恵子訳

「こんなもの聴くのに人が金払うっていうのかい？」ザ・レジデンツ

20世紀最大の謎のひとつ、目玉芸術集団ザ・レジデンツ。嘘か誠か、摩訶不思議な写真の数々を交えた噂の奇書！　本体価格／二七一八円

■ご注文は最寄りの書店をご利用下さい。直接注文の場合は送料をご負担願います。本体価格に消費税は含まれていません。